KU-686-576

ANNA IGNONE / MAURO PICHIASSI

ATTIVITÀ LINGUISTICHE
PER LO SVILUPPO DELLE
ABILITÀ DI ASCOLTO IN
ITALIANO L2

SE ASCOLTANDO...

LIVELLI B1-B2

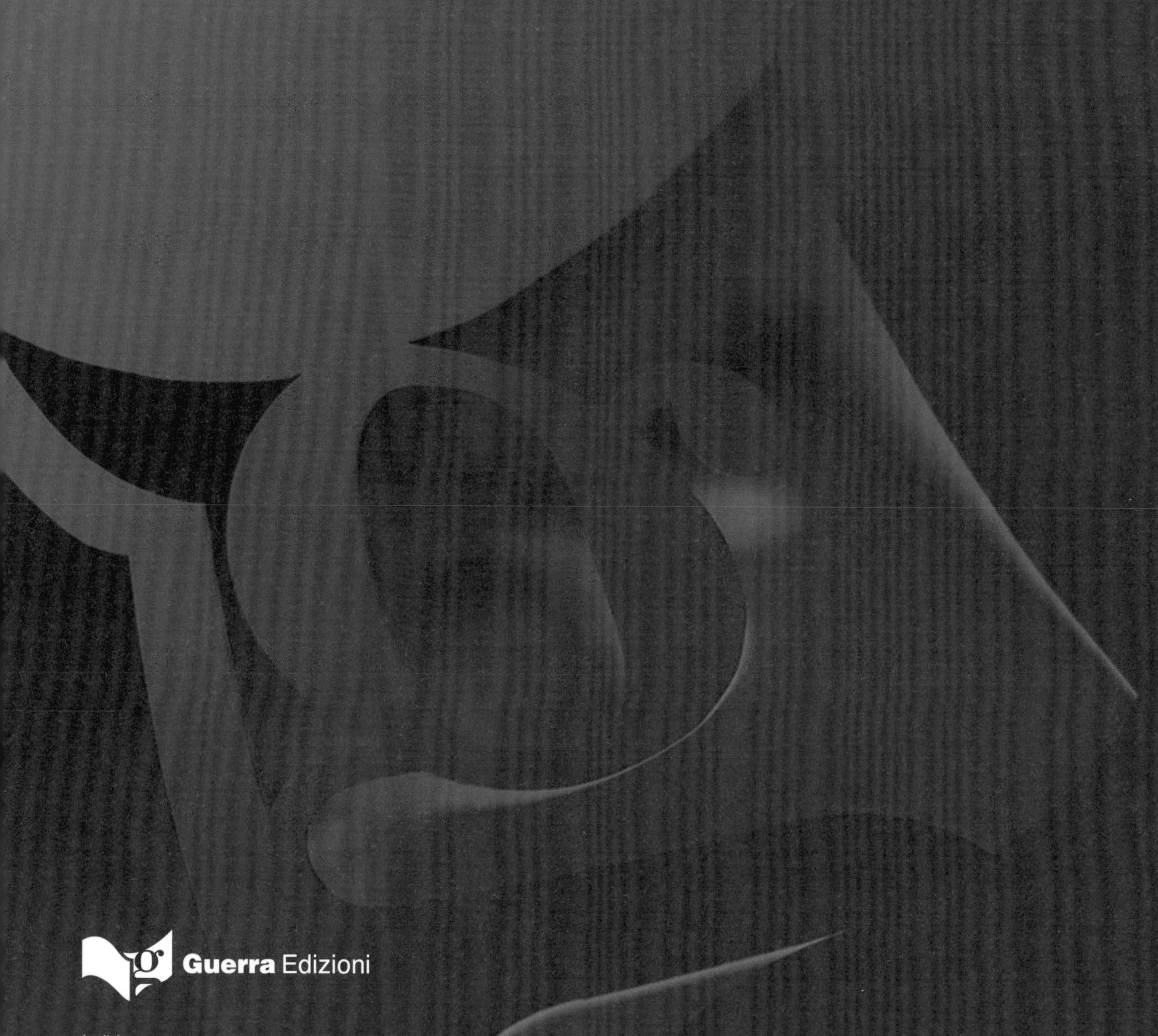

Guerra Edizioni

I edizione
© Copyright 2009
Guerra Edizioni - Perugia

ISBN 978-88-557-0231-7

Proprietà letteraria riservata.
I diritti di traduzione, di memorizzazione elettronica, di riproduzione e di adattamento totale o parziale, con qualsiasi mezzo (compresi microfilm e le copie fotostatiche), sono riservati per tutti i paesi.

Gli Autori e l'Editore sono a disposizione degli aventi diritto con i quali non è stato possibile comunicare nonché per involontarie omissioni o inesattezze nella citazione delle fonti dei brani o immagini riprodotte nel presente volume.

Nomi, immagini e marchi di prodotti sono riportati senza modifiche o ritocchi perché così, didatticamente più efficaci.
Non esiste alcun rapporto con i relativi produttori. Gli Autori e l'Editore non intendono cioè fare paragoni o indirettamente opera di promozione.

La realizzazione di un libro comporta un attento lavoro di revisione e controllo sulle informazioni contenute nel testo, sull'iconografia e sul rapporto che intercorre tra testo e immagine.
Nonostante il costante controllo, è quasi impossibile pubblicare un libro del tutto privo di errori o refusi.
Per questa ragione ringraziamo fin da ora i lettori che li vorranno segnalare al seguente indirizzo:

Guerra Edizioni
via Aldo Manna 25
06132 - Perugia (Italia)
tel. +39 075 5289090
fax +39 075 5288244
e-mail: info@guerraedizioni.com
www.guerraedizioni.com

Primo volume (livelli A1-A2): Mauro Pichiassi è autore delle unità 14-18; Anna Ignone è autrice delle restanti unità.

Secondo volume (livelli B1-B2); Mauro Pichiassi è autore delle unità 12-16; Anna Ignone è autrice delle restanti unità.

ANNA IGNONE / MAURO PICHIASSI

ATTIVITÀ LINGUISTICHE
PER LO SVILUPPO DELLE
ABILITÀ DI ASCOLTO IN
ITALIANO L2

SE ASCOLTANDO...

LIVELLI B1–B2

Indice

Unità 11 40-42

Titolo: **Il mio incubo era la lingua**	
Contenuti linguistici e funzionali:	Passato remoto Imperfetto Condizionale passato *Comprendere racconti di vita*
Pronuncia e grafia:	Esercizi di lettura

Unità 12 43-45

Titolo: **Un Capodanno che non dimenticherò**	
Contenuti linguistici e funzionali:	Passato remoto *Comprendere e raccontare eventi passati*
Pronuncia e grafia:	Parole tronche

Unità 13 46-48

Titolo: **Un vero amico**	
Contenuti linguistici e funzionali:	Periodo ipotetico dell'impossibilità *Esprimere e comprendere collaborazione, aiuto*
Pronuncia e grafia:	*b* < > *p*

Unità 14 49-51

Titolo: **Chiudiamo Internet per cinque anni!**	
Contenuti linguistici e funzionali:	Periodo ipotetico della possibilità *Comprendere ed esprimere opinioni*
Pronuncia e grafia:	La consonante *d*

Unità 15 52-54

Titolo: **Che sfiga!**	
Contenuti linguistici e funzionali:	Congiuntivo imperfetto *Comprendere ed esprimere commenti su una partita di calcio*
Pronuncia e grafia:	La consonante *f*

Unità 16 55-57

Titolo: **Una finestra sul mondo del lavoro**	
Contenuti linguistici e funzionali:	Forma passiva *Comprendere e dare informazioni su lezioni, corsi*
Pronuncia e grafia:	La consonante *l*

Unità 17 58-60

Titolo: **Una regione in cifre**	
Contenuti linguistici e funzionali:	Derivazione di nomi da verbi *Comprendere e dare informazioni geografiche, economiche. Pubblicità turistica*
Pronuncia e grafia:	La consonante *s*

Unità 18 61-62

Titolo: **Ascoltando la radio**	
Contenuti linguistici e funzionali:	Congiuntivo presente Forma impersonale *Comprendere programmi radiofonici*
Pronuncia e grafia:	*Accento di parola*

Introduzione

Nel processo di apprendimento di una seconda lingua un ruolo cruciale e decisivo è svolto dall'input, ossia dal materiale linguistico cui lo studente è esposto. Per questo è importante scegliere e proporre materiali orali e scritti che aiutino gli allievi a sviluppare e migliorare le capacità di comprensione di testi orali e scritti che sono il presupposto e il fondamento per lo sviluppo delle altre abilità linguistiche. E tra le abilità di comprensione quella orale è sicuramente la più complessa e allo stesso tempo la più significativa non solo ai fini dell'apprendimento di una seconda lingua, ma altresì del suo uso nell'interazione con i nativi.

Quando ascoltiamo parlare una lingua che non conosciamo, soprattutto se questa è strutturalmente e tipologicamente distante dalla nostra, percepiamo semplicemente un flusso di suoni indistinti e indecifrabili. Questa incapacità a capire ci dà la sensazione di essere tagliati fuori ed esclusi da un mondo di comunicazione. Viceversa, quando ascoltiamo parlare nella nostra lingua, quelle che per gli "stranieri" sono solo suoni indistinguibili variamente modulati diventano per noi parole, concetti, idee e messaggi. Capire ciò che un parlante straniero dice costituisce spesso il desiderio o il motivo che spinge molti a imparare una seconda lingua.

L'ascolto diventa così l'abilità linguistica prima in termini di precedenza cronologica e di importanza pedagogico-didattica. È ascoltando che il bambino impara a parlare la lingua madre. Attraverso l'esposizione ai discorsi e alle parole che gli altri, adulti e non, dicono a lui o in sua presenza che il bambino scopre e costruisce il suo primo sistema di comunicazione orale. Anche nell'apprendimento di un'altra lingua successiva a quella materna, l'ascolto svolge una funzione analoga. Capire ciò che si ascolta è presupposto indispensabile per apprendere una lingua. Già negli anni '70 del secolo scorso, con l'affacciarsi dei metodi comunicativi e funzionali nella didattica linguistica si sottolineava l'importanza dell'ascolto, e si affermava che nulla gli studenti dovevano dire o leggere o scrivere se prima non lo avevano ascoltato. Tuttavia questa priorità dell'ascolto non viene sempre riconosciuta nella pratica didattica. La tendenza a privilegiare le attività comunicative lascia spesso in secondo piano o dà per scontata la capacità di comprensione orale. Anche nel Quadro Comune Europeo di riferimento per le lingue le attività e strategie di ricezione che pur sono descritte in modo sufficientemente articolato sono poste in subordine o comunque ancillari rispetto a quelle produttive. "Le capacità che necessariamente alimentano il processo di comprensione e articolazione della parola parlata e scritta (ad es. segmentare una catena sonora per decodificarla come stringa di parole dotate di significato proposizionale) vengono descritte come capacità di livello più basso, attinenti al relativo processo comunicativo" (QCER: p.72). E questo atteggiamento è riscontrabile anche in alcuni corsi di italiano lingua straniera, che pur ispirandosi all'approccio comunicativo, enfatizzano gli aspetti comunicativi visti essenzialmente come abilità di produzione nella L2. Quindi molte attività volte a far interagire, a far dialogare gli studenti tra di loro nella presupposizione che comunque l'ascolto è implicito in ogni scambio comunicativo.

Eppure una buona pronuncia in lingua straniera si fonda su modelli che si sono ascoltati, e la comprensione orale sarà tanto più ampia quanto più sono state le occasioni di ascolto di testi in lingua straniera.

Il processo di ricezione orale, o ascolto, comprende quattro momenti che, pur svolgendosi secondo uno sviluppo lineare, vengono continuamente modificati e riaggiustati in base alle conoscenze del mondo e alle ipotesi che si formulano durante l'ascolto. Questi momenti sono la percezione del parlato, intesa come riconoscimento dei suoni, l'identificazione del messaggio che passa attraverso l'individuazione delle singole parole e dei gruppi di parole in cui si articola il discorso, la comprensione del significato esplicito e implicito del testo e infine l'interpretazione del messaggio. Si tratta di momenti che presuppongono capacità uditive, linguistiche semantiche e cognitive, e che rivelano la complessità del processo di ascolto.

Tenendo conto dell'importanza che l'ascolto riveste nel processo di apprendimento di una lingua e anche della sua natura complessa e articolata, esso non deve essere solo una delle possibili attività da fare nella classe di lingua ma deve trovare, in particolare nei livelli elementari, uno spazio e un tempo adeguato. Di qui la proposta di un sussidio mirato all'ascolto che possa integrare i tanti corsi e manuali di italiano per stranieri che riservano a questa abilità uno spazio e un tempo ridotto a vantaggio della descrizione della lingua e di attività mirate all'apprendimento delle strutture linguistiche.

Se ascoltando è un libro per lo sviluppo delle abilità d'ascolto della lingua italiana e si compone di due volumi. È pensato per studenti adulti e adolescenti che apprendono la lingua italiana sia come lingua straniera che lingua seconda.

Il primo è per i livelli A1-A2 e comprende 20 unità; il secondo è per i livelli B1-B2 e prevede 18 unità. In ogni volume sono presentati argomenti e funzioni peculiari per quei livelli, come descritti dal Quadro Comune Europeo di Riferimento per le lingue. Nel primo volume, livello A1-A2, ci sono funzioni comunicative come presentarsi, esprimere richieste, descrivere, invitare, dare ricette di cucina, parlare di salute, raccontare semplici fatti di cronaca, ecc...

Nella parte B1-B2 le funzioni riguardano il raccontarsi, esprimere opinioni, parlare di esperienze di vita, di stati d'animo, di aspetti culturali, ecc...

Questi testi sono pensati sia per un uso individuale che per un utilizzo in classe o anche nel laboratorio linguistico. Per lo sviluppo della capacità di ascolto sono previste attività distinte per fasi, per la fase di pre-ascolto, di ascolto vero e proprio e di post-ascolto. Le attività di pre-ascolto sono varie e sono intese come funzionali alla motivazione, facilitazione della comprensione, richiamo del lessico appreso o anticipazione delle situazioni che hanno attinenza con quanto si ascolterà. Naturalmente queste attività diventano utili e preziosi stimoli per la produzione orale, alla quale ci sembra opportuno riservare nel processo di apprendimento di una L2, accurata e continua attenzione in tutti gli spazi possibili.

Introduzione

Nell'ambito dell'unità (o modulo) sono proposti esercizi di pronuncia, di grafia, strutturali su specifici e particolari aspetti grammaticali e lessicali per un approfondimento o un rinforzo di quanto è stato appreso. Sono previsti, altresì, in modo sistematico esercizi di dettato e di lettura.

Quando il testo lo permette, dopo le attività orali si propone un confronto con un testo scritto per individuare quali informazioni hanno in comune o no i due testi.

Tra le tecniche di comprensione è privilegiata quella binaria di vero o falso in quanto si rivela meno problematica per un'esecuzione orale. Non mancano comunque, attività basate su tecniche di transcodificazione, di scelta multipla, di completamento di frasi ecc. Per evitare la monotonia legata ad una successione sempre uguale delle stesse attività, si è cercato di diversificare il più possibile i compiti, proponendone di diversi nelle varie unità (o moduli).

L'attività di produzione orale viene riproposta anche a chiusura dell'unità con compiti comunicativi, drammatizzazioni, dialoghi su traccia, illustrazioni.

Per concludere, desideriamo ringraziare tutti gli studenti che hanno fatto da "cavia", perché hanno permesso di sperimentare il materiale e direttamente o indirettamente hanno fornito indicazioni utili per la stesura dell'opera.

Un ringraziamento particolare va anche al professore Osvaldo Mencacci per i preziosi consigli.

I testi audio non presenti nel CD sono reperibili nel sito dell'editore Guerra Edizioni all'indirizzo:
www.guerraedizioni.com/seascoltando

Simboli

Ascoltare

Lavorare in coppia

Ascoltare e parlare

Internet
www.guerraedizioni.com/seascoltando

Scrivere

ATTIVITÀ LINGUISTICHE PER LO SVILUPPO DELLE ABILITÀ DI ASCOLTO IN ITALIANO L2

UNITÀ 01
UN'INTERVISTA

Attività di pre-ascolto

Abbinate le parti della colonna "A" a quelle della colonna "B".

A	*B*
1. È un sogno	a) vuol dire fare da grande quello che hai sempre sognato da bambino.
2. Essere calciatore	b) per chiedere l'autografo.
3. Nessuno mi ferma per strada	c) che diventa realtà.

Fate delle ipotesi sulla vita di un famoso calciatore.

- come spende i soldi
- a che età smette di giocare
- che fa nel tempo libero
- preferisce il matrimonio o la convivenza

A. Ascoltate il testo seguente. (traccia 1)

Giornalista: Prima di tutto, grazie per aver accettato il nostro invito per l'intervista.
Calciatore: Di niente. È un piacere per me.
Giornalista: Lei vive a Londra. Ha nostalgia di Milano, la sua città?
Calciatore: Vivo a Londra e sono a poche ore di aereo da Milano. Ci vado spesso e, per questo, non ho nostalgia della mia città. E poi qui a Londra sto bene, mi sento più libero, più rilassato. Per esempio, nessuno mi ferma per strada per chiedere l'autografo, perché qui la gente rispetta la tua vita privata.
Giornalista: Si sa, i calciatori guadagnano molti soldi. Come spende quello che guadagna?
Calciatore: In vacanze, case; un tempo... spendevo molto anche per le macchine.
Giornalista: Lei pensa di essere vecchio come calciatore?
Calciatore: Sì, tra due anni dovrò lasciare. 35 anni è l'età giusta per smettere. Adesso ho ancora voglia di giocare...
Giornalista: Dopo che farà?
Calciatore: Il mio sogno sarebbe quello di allenare una squadra importante.
Giornalista: Tornerà a vivere in Italia?
Calciatore: Penso di sì. O meglio mi dividerò tra l'Italia e Londra.
Giornalista: Ci parli del suo carattere.

Calciatore: Sono una persona sensibile e generosa, credo nell'amicizia. Penso di essere corretto con tutti. Forse sono un po' diffidente.
Giornalista: Sui giornali La vediamo spesso con la sua fidanzata. Che tipo è?
Calciatore: È una ragazza tranquilla, responsabile, allegra e paziente. Stiamo insieme ormai da 12 anni.
Giornalista: Pensate di sposarvi?
Calciatore: Non credo molto nel matrimonio. Preferisco convivere.
Giornalista: Quando non lavora che fa?
Calciatore: Gioco a golf, vado al cinema, continuo a studiare l'inglese.
Giornalista: Ci va a ballare?
Calciatore: Quando posso, ci vado.
Giornalista: Che cosa vuol dire essere un calciatore?
Calciatore: Vuol dire fare da grande quello che hai sempre sognato da piccolo. È un sogno che diventa realtà.

A1. Ascoltate e dite se le affermazioni seguenti sono vere o false. (traccia 2)

	V	F
1. Il calciatore vive a Milano.		
2. Spende in vacanze, case.		
3. Lui non vuole più giocare a calcio.		
4. In futuro gli piacerebbe allenare una squadra.		
5. La sua ragazza è tranquilla.		
6. Si sposerà presto.		
7. Parla molto bene l'inglese.		
8. Ha sempre sognato di fare il calciatore.		

A2.

Città di nascita: ....

Città dove vive: ....

Età: ....

Stato civile: ....

Carattere: ....

Hobby: ....

A3. Riascoltate e prendete appunti.

....

....

....

....

A4. Sulla base degli appunti presi, scrivete delle domande che poi farete agli altri studenti.

B1. Ascoltate e rispondete, come nell'esempio.

Esempio:

Vai al cinema?
Quando posso, ci vado

1. Vai allo stadio?
2. Andate in discoteca?
3. I ragazzi vanno in piscina?
4. Il signor Rossi va alla partita?
5. Tua madre viene a casa tua?
6. I tuoi genitori vengono da te a Londra?
7. Vieni al mare?
8. Venite in montagna?

B2. Ascoltate e rispondete, come nell'esempio.

Esempio:

Dove abiti?/città
A pochi minuti dalla città

1. Dove abiti?/centro
2. Dove abiti?/stadio
3. Dove abiti?/ stazione
4. Dove abiti?/ giardini pubblici
5. Dove abiti?/ ufficio postale
6. Dove abiti?/ supermercato

C1. Ascoltate e dite la parola giusta.

1. È una persona calma, che non si arrabbia. È ....
2. È sempre sorridente, felice. È ....
3. È una persona che non si fida degli altri. È ....
4. È una persona che accetta serenamente le difficoltà. È ....
5. È una persona che dà facilmente agli altri. È ....

D1. Ascoltate e ripetete le frasi seguenti.

1. Tra due anni dovrò lasciare.
2. Il mio sogno sarebbe quello di allenare una squadra importante.
3. Penso di essere corretto con tutti.
4. Forse sono un po' diffidente.
5. È tranquilla, responsabile, allegra e paziente.

D2. Ascoltate le parole seguenti guardando le illustrazioni.

pallone

attaccante

allenatore

maglietta

pareggio

D3. Riascoltate e ripetete a voce alta.

D4. Ascoltate e ripetete le frasi seguenti.

1. L'allenatore è soddisfatto della squadra.
2. Il pallone è finito fuori campo.
3. Un solo attaccante ha giocato bene.
4. La partita è finita con un pareggio.
5. La maglietta dei calciatori italiani è azzurra.

D5. Ascoltate e indicate con un segno (x) la parola che sentite.

1. frigo	☐	friggo	☐
2. casa	☐	cassa	☐
3. corro	☐	coro	☐
4. pane	☐	panne	☐
5. rosa	☐	rossa	☐

E1. Alcuni gruppi immaginano di essere dei giornalisti, altri dei personaggi famosi: attrice, stilista, cantante, ecc. Le domande e le risposte riguardano i seguenti argomenti: la famiglia, il lavoro, il tempo libero, il successo. Drammatizzate le interviste.

UNITÀ 02
PREPARATIVI DI VIAGGIO

Attività di pre-ascolto

Fate una lista delle cose che normalmente fate prima di partire per un viaggio all'estero

Esempio: Prendere il passaporto...

A. Ascoltate il testo seguente. (traccia 3)

Marito:	Cara, se non ti sbrighi, perdiamo l'aereo e... addio vacanza in Messico.
Moglie:	Caro, ho quasi fatto. Dunque... i biglietti li ho presi, il passaporto anche.
Marito:	Il mio costume da bagno ?
Moglie:	Tranquillo! È già in valigia. Ho preso anche le tue medicine.
Marito:	Bene, bene.
Moglie:	Tu, piuttosto, hai detto a tua madre di venire a innaffiare le piante quando non ci siamo?
Marito:	È la prima cosa che ho fatto stamattina. Io, ... non dimentico mai niente. Ho già messo la segreteria telefonica ed ho preso la videocamera e la macchina fotografica.
Moglie:	Bravo! Ah... Abbiamo abbastanza credito sul cellulare?
Marito:	Credo di sì. Naturalmente, ... quando telefoni, dovrai ricordarti che siamo all'estero e non potrai chiacchierare tanto, come fai di solito.
Moglie:	Ehi, ehi. Non hai bisogno di ricordarmi che mi piace chiacchierare al telefono. Lo faccio quando sono a casa, non certo quando sono in vacanza.
Marito:	Mah... Io ho qualche dubbio.
Moglie:	Su, su, dai... chiudiamo le valigie perché è ora di andare e questa volta non ho dimenticato niente.
Marito:	Incredibile! Riusciamo a partire in tempo.
Moglie:	Vedi, anch'io so essere puntuale...
Marito:	Una volta tanto...
Moglie:	Oh, aspetta, aspetta , caro, scusami, ho dimenticato il caricabatteria e il cellulare.
Marito:	Ho preso io il caricabatteria. Manca, però, il cellulare. E avevi preso tutto, eh.
Moglie:	Faccio in un attimo. Abbi pazienza! Non brontolare come al solito...

A1. Scrivete quello che hanno fatto prima di partire.

Il marito	*La moglie*
....	....
....	....
....	....
....	....

A2. Ascoltate e dite se le affermazioni seguenti sono vere o false. (traccia 4)

	V	F
1. I signori Rossi partono per il mare.		
2. La moglie ha preso il costume da bagno del marito.		
3. La moglie ha preso le medicine per il marito.		
4. La moglie ha messo la segreteria telefonica.		
5. La moglie ha preso la videocamera.		
6. Alla moglie piace parlare molto al cellulare.		
7. La moglie ha dimenticato solo il cellulare.		
8. Secondo il marito, la moglie è una ritardataria.		

A3. Riascoltate e prendete appunti.

....

....

....

....

A4. Sulla base degli appunti presi, scrivete delle domande, che farete poi agli altri studenti.

Esempio: Dove va in vacanza la coppia?

A5. Ascoltate e dite quello che ricordate.

1. La moglie risponde al marito che le manca poco per essere pronta. Che cosa dice?
2. Il marito ricorda alla moglie che lui non dimentica le cose. Che cosa dice?
3. La moglie invita il marito ad avere pazienza e a non lamentarsi. Che cosa dice?

B1. Ascoltate e rispondete, come nell'esempio.

Esempio:

Hai preso i biglietti?
Sì, li ho presi.

1. Hai preso il cellulare?
2. Hai innaffiato i fiori?
3. Hai avvisato la tua mamma?
4. Hai preso le medicine?
5. Hai caricato il cellulare?
6. Hai messo la segreteria telefonica?
7. Hai preso la videocamera?
8. Hai chiuso le valigie?

B2. Ascoltate e formate frasi, come nell'esempio.

Esempio:

Pagate le bollette!
Paga le bollette!

1. Mettete la segreteria telefonica!
2. Caricate il cellulare!
3. Chiudete la valigia!
4. Innaffiate i fiori!
5. Spedite le lettere!
6. Seguite il mio consiglio!
7. Prendete la macchina fotografica!

B3. Ascoltate e formate frasi, come nell'esempio.

Esempio:

Dite a Paolo di avere pazienza.
Paolo, **abbi** *pazienza!*
Dite al signor Rossi di avere pazienza
Signor Rossi, **abbia** *pazienza!*

1. Dite a Paolo di essere prudente.
2. Dite al signor Rossi di essere prudente.
3. Dite a Paolo di andare in vacanza.
4. Dite al signor Rossi di andare in vacanza.
5. Dite a Paolo di venire a cena.
6. Dite al signor Rossi di venire a cena.
7. Dite a Paolo di scegliere un ristorante.
8. Dite al signor Rossi di scegliere un ristorante.

C1. Ascoltate e ripetete le frasi seguenti.

1. Cara, se non ti sbrighi, perdiamo l'aereo.
2. Dunque i biglietti li ho presi, il passaporto anche.
3. Tranquillo, il costume è già in valigia.
4. Ho preso la videocamera e la macchina fotografica.
5. Oh, aspetta, aspetta!
6. Faccio in un attimo.
7. Abbi pazienza e non brontolare come al solito!
8. Incredibile! Riusciamo a partire in tempo.

C2. Completate con le parole seguenti.

Sdraio – straordinario – stretta – incredibile – complice – astronauta

1. Mio figlio da grande vuole fare l'..........
2. Prendiamo solo l'ombrellone o anche le ....
3. Il ladro aveva sicuramente un ....
4. Se vuoi guadagnare di più con il tuo lavoro, devi fare dello ....
5. È .... la tua somiglianza con mio cugino.
6. Ci siamo salutati con una .... di mano.

C3. Leggete le frasi che avete completato.

C4. Ascoltate e completate con le parole mancanti. (traccia 4)

Marito: Cara, ..., perdiamo l'aereo e addio .... in Messico.
Moglie: Caro, ho quasi fatto. Dunque... i biglietti li ho presi, il passaporto anche.
Marito: Il mio costume da bagno ?
Moglie: ....! È già in valigia. Ho preso anche le tue medicine.
Marito: Bene bene
Tu, piuttosto, hai detto a tua madre di venire a .... le piante quando non ci siamo?
Marito: È la prima cosa che ho fatto stamattina. Io, ... non dimentico mai niente. Ho già messo la .... telefonica ed ho preso la videocamera e la macchina fotografica.
Moglie: Bravo! Ah... Abbiamo abbastanza .... sul cellulare?
Marito: Credo di sì. Naturalmente, ... quando telefoni, dovrai ricordarti che siamo all'estero e non potrai .... tanto, come fai di solito.
Moglie: Ehi, ehi... Non hai bisogno di ricordarmi che mi piace chiacchierare al telefono. Lo faccio quando sono a casa, non certo quando sono in vacanza.
Marito: Mah... Io ho .... dubbio.
Moglie: Su, su, dai... chiudiamo le valigie perché è ora di andare e questa volta non ho dimenticato niente.
Marito: ....! Riusciamo a partire in tempo.
Moglie: Vedi, anch'io so essere ....…
Marito: Una volta tanto...
Moglie: Oh, aspetta, aspetta , caro, scusami, ho dimenticato il caricabatteria e il cellulare.
Marito: Ho preso io il caricabatteria . Manca, però, il cellulare. E avevi preso tutto, eh.
Moglie: Faccio in un attimo ... Abbi pazienza! Non .... come al solito...

D1. Ascoltate e dite chi potrebbero essere le persone che parlano.

I

Non mi occupo mai dei miei bagagli. Li fa il mio manager. Sa, per girare i miei film viaggio molto e devo avere sempre la valigia pronta. Prima di partire, bisogna informarsi sul tempo e prendere quello che serve, oltre agli abiti che indosso quando lavoro. Sinceramente, non avrei proprio il tempo né per informarmi né per pensare alle cose da portare. Una cosa, però, che non deve mai mancare nella valigia è la mia agenda... dove sono i numeri telefonici degli attori o attrici che potrei contattare per i vari ruoli...

Sono un ....

II

Le cose a cui tengo e che non dimentico mai sono il cellulare e il caricabatteria, dei dvd di film con Alberto Sordi. Oltre alla roba sportiva, pantaloni, tute per correre sulla mia Honda, se ho cene, serate di gala, porto con me anche vestiti eleganti. Sono capi firmati perché ho un contratto con un noto stilista italiano. In genere porto due valigie e per farle mi aiutano sempre due collaboratori.

Sono un ....

III

Faccio sempre la valigia da solo, non accetto l'aiuto neanche di mia moglie. Di solito non dimentico mai le cose importanti di cui ho bisogno: spazzolino, pigiama, biancheria ecc... Anche se parto per una vacanza, però, non posso fare a meno di portare qualche strumento di lavoro come lo stetoscopio. Non si sa mai ... se in volo qualcuno si sente male, ho il dovere di aiutarlo.

Sono un ....

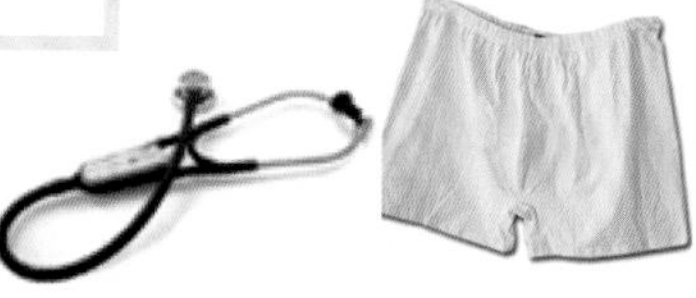

E1. Scambiatevi le domande seguenti.

Studente A	*Studente B*
- Cosa non deve mai mancare nella tua valigia?	....
- Hai avuto qualche disavventura con le tue valigie?	....
- Ti aiuta qualcuno a fare la valigia?	....

UNITÀ 03
UNA NONNINA BEFFA LO SCIPPATORE

 **Attività di pre-ascolto**

Descrivete l'immagine.

 **A. Ascoltate il testo seguente.** (traccia 5)

Maria:	Eh brava la nonnina!
Francesca:	Che fai, Maria, parli da sola?
Maria:	No, no. È che sto leggendo un articolo di cronaca...
Francesca:	Di che si tratta?
Maria:	Uno scippo mancato.
Francesca:	Interessante! Su dai,... racconta!
Maria:	Un'arzilla vecchietta di 92 anni era andata alla Posta per ritirare la sua pensione. Era poco lontana dall'ufficio postale, stava tornando a casa, quando ha sentito il rumore di una moto che, a tutta velocità, si avvicinava a lei.
Francesca:	E la signora, sì, insomma ... che cosa ha fatto?
Maria:	Ha tolto il portafogli dalla borsa e l'ha messo sotto il braccio.
Francesca:	Beh, ha fatto proprio bene. Grande! Veramente grande! E lo scippatore?
Maria:	Lo scippatore ha afferrato la borsa della signora al volo, allontanandosi a tutto gas.
Francesca:	Lei ha gridato aiuto, naturalmente?
Maria:	No, vedi la signora è caduta e non ha potuto gridare.
Francesca:	Poverina! Si è fatta male?
Maria:	No, per fortuna, non si è fatta niente.
Francesca:	E poi? Com'è finita? L'hanno preso, sì, lo scippatore?
Maria:	No, ma hanno trovato la borsa alcuni metri più avanti, sai, il ladro, quando ha visto che non c'era il portafogli, l'ha buttata via. Non c'era quello che cercava...

A1. Ascoltate e dite se le affermazioni seguenti sono vere o false. (traccia 6)

	V	F
1. Maria sta leggendo un articolo di politica.		
2. Lo scippo è avvenuto lontano dalla posta.		
3. Lo scippatore era su una moto.		
4. La signora teneva il portafogli in mano.		
5. Secondo Maria, la signora è stata brava.		
6. La signora ha chiesto aiuto.		
7. La signora non si è fatta male.		
8. Lo scippatore ha portato via con sé la borsa.		

A2. Riascoltate e prendete appunti.

....

....

....

A3. Sulla base degli appunti presi, scrivete delle domande che poi farete agli altri studenti.

Esempio: Quanti anni ha la nonnina?

A4. Ascoltate e dite quello che ricordate.

1. Francesca vuole sapere di che cosa parla l'articolo. Che cosa dice?
2. Francesca invita Maria a raccontare. Che cosa dice?
3. Per Francesca la nonnina è stata molto brava. Che cosa dice?
4. La nonnina è caduta e questo dispiace a Francesca. Che cosa dice?
5. Francesca vuole sapere come finisce. Che cosa dice?

B1. Ascoltate e completate con le parole mancanti. (traccia 5)

Maria: Eh .... la nonnina!
Francesca: Che fai, Maria, parli da sola?
Maria: No, no. È che sto .... un articolo di cronaca.
Francesca: Di che si tratta?
Maria: Uno .... mancato.
Francesca: Interessante! Su dai,... ....!
Maria: Un'arzilla vecchietta di 92 anni era andata alla Posta per .... la sua pensione. Era poco lontana dall'ufficio postale, stava tornando a casa, quando ha sentito il .... di una moto che, a tutta velocità, si avvicinava a lei.
Francesca: E la signora, sì, insomma ... che cosa ha fatto?
Maria: Ha tolto il .... dalla borsa e l'ha messo sotto il braccio.

Francesca: Beh, ha fatto proprio bene. Grande! Veramente grande! E lo ....?
Maria: Lo scippatore .... la borsa della signora al volo, allontanandosi a tutto gas.
Francesca: Lei ha gridato aiuto, naturalmente?
Maria: No, vedi la signora è caduta e non ha potuto ....
Francesca: Poverina! Si è fatta male?
Maria: No, per fortuna, non si è fatta niente.
Francesca: E poi? Com'è finita? Hanno preso, sì, lo scippatore?
Maria: No, ma hanno trovato la borsa alcuni .... più avanti, sai, il ladro, quando ha visto che non c'era il portafogli, l'ha buttata via. Non c'era .... che cercava...

C1. Ascoltate e rispondete, come nell'esempio.

Esempio:

Dov'era andata la signora? (Posta)
Alla Posta.

1. Dov'era andata? (università)
2. Dov'era andata? (piscina)
3. Dov'era andata? (stadio)
4. Dov'era andata? (parrucchiera)
5. Dov'era andata? (libreria)
6. Dov'era andata? (teatro)
7. Dov'era andata? (cinema)
8. Dov'era andata? (lago)
9. Dov'era andata? (mare)

C2. Ascoltate e formulate frasi, come nell'esempio.

Esempio:

Che fai? Pranzi?
Sì, sto pranzando.

1. Che fate? Studiate?
2. Che fanno? Ascoltano la musica?
3. Che fa Angela? Prende appunti?
4. Che fate? Scrivete un' e-mail?
5. Che fai? Chiedi un passaggio?
6. Che fanno i poliziotti? Intervengono?
7. Che fa Maria? Pulisce la camera?

D1. Leggete l'articolo seguente.

Una nonnina beffa lo scippatore

Viterbo. Uno scippo è accaduto ieri in pieno centro a Viterbo poco prima delle 13.00. La vittima è una signora di 92 anni che era stata all'ufficio postale per ritirare la pensione. La signora, dopo che era stata alla posta, si dirigeva verso casa quando ha sentito il rumore di una moto che si avvicinava. Allora non ci ha pensato due volte a togliere il portafogli dalla borsa e a metterlo sotto il braccio. Lo scippatore si è avvicinato a tutta velocità e le ha strappato la borsetta. L'anziana ha reagito ed è caduta a terra. Il malvivente, quando ha scoperto che il colpo è andato a vuoto, ha abbandonato la refurtiva a pochi metri dal luogo dove aveva messo a segno lo scippo. Intanto alcuni passanti hanno immediatamente soccorso la signora e hanno avvertito sua figlia. L'hanno fatta sedere in un negozio, le hanno dato qualcosa da bere e, quando si è sentita meglio, è tornata a casa. Le forze dell'ordine si sono messe subito al lavoro. Secondo loro si tratterebbe di un tossicodipendente già noto alla polizia per furti e rapina.

D2. Ricordate le informazioni del dialogo e quelle dell'articolo e completate la tabella seguente, come nell'esempio.

	dialogo	articolo	tutti e due
1. Lo scippo è avvenuto a Viterbo.		X	
2. La signora ha 92 anni.			
3. La signora è caduta.			
4. I passanti hanno soccorso la vittima.			
5. Lo scippatore ha abbandonato la borsa.			
6. I passanti hanno avvisato la figlia.			
7. Secondo la polizia, lo scippatore sarebbe un tossicodipendente.			

E1. Ascoltate e ripetete le frasi seguenti.

1. Su dai racconta!
2. Era andata alla Posta per ritirare la sua pensione.
3. Era poco lontana dall'ufficio postale.
4. Ha sentito il rumore di una moto.
5. Lei ha gridato aiuto, naturalmente...

E2. Scrivete e leggete il participio passato dei verbi seguenti.

1. vendere *venduto*
2. tenere ....
3. temere ....
4. credere ....
5. ricevere ....
6. avere ....

E3. Formulate frasi come nell'esempio. Fate attenzione all'intonazione!

Esempio:

Penso di smettere di studiare.
Su dai non smettere!

1. Penso di partire.
2. Penso di mollare.
3. Penso di tornare al lavoro.
4. Penso di uscire.

E4. Completate con le parole mancanti.

Blu - giù - lassù - musicista - su - virtuoso - virtù

1. Mi piace molto la tua camicia ....
2. Mi sento un po' .... e vorrei tanto tirarmi ....
3. La pazienza è una grande ....
4. Che bravo ....! È un .... del violino.
5. Guarda ....! C'è un bellissimo aquilone.

F1. Immagina di essere la nonnina dell'articolo e racconta alla polizia quello che è successo. Gli altri studenti fanno delle domande per aiutarti a raccontare.

UNITÀ 04
UN CAMBIO DI PROGRAMMA

Attività di pre-ascolto

Cosa vuol dire "colpo di fulmine"?

a. innamoramento a prima vista
b. scarica elettrica
c. avvenimento improvviso e spiacevole

Secondo voi, perché un matrimonio può essere indimenticabile. Scegliete tra le ipotesi seguenti.

- gli invitati sono finiti tutti all'ospedale per il pranzo avariato
- un incontro importante
- un pranzo e una festa da favola.
- altro: ....

A. Ascoltate il testo seguente. (traccia 7)

PARTE A

Elisabetta:	Bentornato!
Antonio:	Grazie, ben trovata!
Elisabetta:	So che sei stato a Parigi.
Antonio:	Sì, ci sono andato per il matrimonio di un amico, Gaston. Ti ricordi di lui? Te ne ho parlato. È il ragazzo che ho conosciuto a Parigi quando ero lì per l'Erasmus.
Elisabetta:	Ah, sì, mi ricordo ... Ma non avevi detto che saresti andato in vacanza al mare nella tua Sicilia?
Antonio:	Certo che ci sono stato... ma prima di partire per Parigi.
Elisabetta:	E come sono andate le vacanze in Sicilia?
Antonio:	Benone! Ho rivisto i miei amici. Sono andato in barca , ho pescato, ho preso il sole. Mi sono proprio rilassato.
Elisabetta:	Sei tornato prima del previsto per andare a Parigi?
Antonio:	Sì, anche se...
Elisabetta:	Anche se...?!
Antonio:	Non avevo voglia di andarci. Pensavo di tornare a Milano a studiare. Mi conosci... sono un po' pigro, non amo viaggiare.
Elisabetta:	E allora? Come mai hai cambiato idea?
Antonio:	È stata mia madre a farmi cambiare idea. Io non volevo neanche mettere in valigia il mio vestito elegante; lei ha insistito e mi ha detto di andare al matrimonio, altrimenti, il mio amico ci sarebbe rimasto male...

Elisabetta:	Capisco. E il matrimonio, com' è stato?
Antonio:	Indimenticabile.
Elisabetta:	Perché? Sono proprio curiosa.
Antonio:	Il posto era incantevole, il cibo non molto buono, la musica non era il mio genere.
Elisabetta:	Mah... Non capisco perché dici "indimenticabile". Tranne il posto, non ti è piaciuto niente, né il cibo, né la musica.

A1. Indicate con un segno (x) l'affermazione giusta.

1. Antonio è andato in vacanza
   - a) a Parigi
   - b) in Sicilia
   - c) a Milano

2. Antonio aveva conosciuto Gaston
   - a) quando studiava a Parigi
   - b) quando era in vacanza a Parigi
   - c) quando Gaston era a Milano

3. Antonio è andato al matrimonio di Gaston
   - a) perché ha insistito un amico
   - b) perché ha insistito sua madre
   - c) perché gli faceva piacere

4. Del matrimonio ad Antonio è piaciuto
   - a) il posto
   - b) la musica
   - c) il cibo

Un cambio di programma **(traccia 8)**

PARTE B

Antonio:	Adesso ti spiego... Al tavolo vicino al mio era seduta una ragazza, Eva, molto carina. Mi è subito piaciuta: aveva un bel fisico, capelli lunghi lisci e neri, occhi grandi ed espressivi. Mi sono accorto che aveva qualche problema con il francese, allora, le ho tradotto qualche frase, insomma, l'ho aiutata un po'. Dopo ho scoperto che era milanese e... allora abbiamo fatto insieme il viaggio di ritorno. L'ho conosciuta meglio. È responsabile, decisa, estroversa soprattutto abbiamo tante cose in comune: musica, sport. È stato un vero colpo di fulmine. E pensare che non ci volevo andare!
Elisabetta:	Avete già fatto progetti per il futuro?
Antonio:	Ah, sì, ci sposeremo presto anche noi. Sarai la mia testimone al nostro matrimonio.
Elisabetta:	Ehi! Ehi! Non ti sembra di correre un po' troppo...

A2. Indicate con un segno (x) l'affermazione giusta.

1. Antonio ha conosciuto Eva
   - a) durante il viaggio di ritorno da Parigi
   - b) al pranzo del matrimonio
   - c) al ritorno dalla Sicilia

2. Eva è
   - a) grassa
   - b) snella
   - c) robusta

3. Eva

- a) ha un carattere forte
- b) ha un carattere debole
- c) è poco responsabile

4. Secondo Elisabetta, Antonio

- a) fa bene a pensare di sposarsi
- b) fa progetti di matrimonio troppo presto
- c) non deve pensare al matrimonio

A3. Riascoltate e prendete appunti.

....

....

....

....

A4. Sulla base degli appunti presi, scrivete delle domande che farete poi agli altri studenti.

A5. Ascoltate e dite quello che ricordate.

1. Elisabetta è sorpresa del viaggio di Antonio a Parigi perché sapeva della vacanza in Sicilia. Che cosa dice?
2. Che cosa dice per sapere il motivo del cambio di programma?
3. Che cosa dice per avere notizie del matrimonio?
4. Che cosa dice per far capire ad Antonio che è troppo presto per sposarsi?

B1. Ascoltate e indovinate la parola.

1. I capelli non sono ricci ma...
2. Non è estroverso/a, ma...
3. Non è indeciso/a, ma....
4. Non è irresponsabile, ma...
5. Non è dimenticabile, ma...
6. Non è stanco/a ma ...

C1. Ascoltate e trasformate, come nell'esempio.

Esempio:

Cambiate il programma che avete fatto.
Avete cambiato il programma che avevate fatto.

1. Saluto Gaston che ho conosciuto a Parigi.
2. Ritorniamo nel paesino dove siamo stati da bambini.
3. Ricordano l'esperienza che hanno vissuto.

4. Rispondi alla lettera che hai ricevuto.
5. Vedete le foto che avete fatto.
6. Vendo la casa che ho comprato.

C2. Ascoltate e formate il plurale delle frasi seguenti.

1. Il posto è incantevole.
2. Il suo vestito è elegante.
3. Lo spettacolo è coinvolgente.
4. L'idea è interessante.
5. La ragazza è milanese.
6. La vacanza è indimenticabile.

D1. Ascoltate e completate con le parole mancanti. (traccia 7)

Un cambio di programma

Elisabetta: Bentornato!
Antonio: Grazie, ...!
Elisabetta: So che sei stato a Parigi.
Antonio: Sì, ci sono andato per il .... di un amico, Gaston. Ti ricordi di lui? Te ne ho parlato. È il ragazzo che ho conosciuto a Parigi quando ero lì per l' ....
Elisabetta: Ah, sì, mi ricordo ... Ma non avevi detto che saresti andato in vacanza al .... nella tua Sicilia?
Antonio: Certo che ci sono stato... ma prima di partire per ....
Elisabetta: E come sono .... le vacanze in Sicilia?
Antonio: ....! Ho rivisto i miei amici. Sono andato in barca , ..., ho preso il sole. Mi sono proprio rilassato.
Elisabetta: Sei tornato prima del .... per andare a Parigi?
Antonio: Sì, anche se....
Elisabetta: Anche se...?!
Antonio: Non avevo .... di andarci. Pensavo di tornare a Milano a studiare . Mi conosci... sono un po' .... non amo viaggiare.
Elisabetta: E allora...come mai hai cambiato .... ?
Antonio: È stata mia madre a farmi cambiare idea. Io non volevo .... mettere in valigia il mio vestito elegante; lei ha insistito e mi ha detto di andare al matrimonio, ...… il mio amico ci sarebbe rimasto male.
Elisabetta: Capisco. E il matrimonio, com' è stato?
Antonio: Indimenticabile.
Elisabetta: Perché? Sono proprio ....…
Antonio: Il posto era ...., il cibo non molto buono, la musica non era il mio genere.
Elisabetta: Mah… Non capisco perché dici "indimenticabile". .... il posto, non ti è piaciuto niente, né il cibo, né la musica.

E1. Completate con le parole mancanti.

Antonio è andato a Parigi al .... [1] di un amico che aveva conosciuto quando era lì per l'Erasmus. Durante il pranzo di nozze, ha incontrato una ragazza milanese.
Gli è piaciuta subito, è stato un vero .... [2] di fulmine. Ha fatto con lei il viaggio di .... [3] ed ha potuto conoscerla meglio. Fa progetti per il .... [4].
Pensa già al matrimonio, ma la sua amica Elisabetta dice che lui corre troppo, che è ancora troppo .... [5] per parlare di matrimonio.

F1. Ascoltate e ripetete le frasi seguenti.

1. So che sei stato a Parigi.
2. Gaston è il ragazzo che ho conosciuto a Parigi.
3. Mi conosci... sono un po' pigro e non amo viaggiare.
4. Non volevo neanche mettere in valigia il mio vestito elegante.
5. Avete già fatto progetti per il futuro?

F2. Ascoltate le parole guardando le illustrazioni.

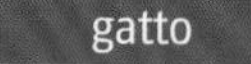

gatto

gesso

golf

Gustavo

Gianna

F3. Riascoltate e ripetete a voce alta.

F4. Ascoltate e ripetete le frasi seguenti.

1. Gustavo si sposerà in agosto.
2. Questo golf è caldo.
3. Gianna è arrivata in albergo.
4. Il gesso è sulla lavagna.
5. Il gatto sta miagolando.

F5. Ascoltate e completate le frasi seguenti.

1. Vorrei fare un .... (1) per la città.
2. Luigi dorme come un .... (2).
3. Paolo ha buon .... (3) nel vestire.
4. Questa zona dei .... (4) è incantevole.
5. Signora, questa crema è ottima per le .... (5).
6. Prendi un .... (6) per giocare a flipper.

Raccontate al passato una vacanza, prima oralmente e poi per iscritto. Utilizzate le parole seguenti.

Nave - crociera - porti - partire - fermarsi - pescare - prendere il sole - nuotare - foto - monumenti - passeggiate - cena - discoteca - colazione a buffet - capitano - celebrare - matrimonio - testimone - sposi - pranzo

UNITÀ 05
L'UOMO SBAGLIATO

Attività di pre-ascolto

- L'attore più importante in un film è il ....
- Quali generi di film conoscete? ....
- Quali preferite? ....

A. Ascoltate il testo seguente. (traccia 9)

Giulio:	Sei uscito ieri sera?
Giovanni:	No, ho avuto una giornata faticosa e ho preferito restare a casa.
Giulio:	Ti sei addormentato sul divano, come al solito... immagino.
Giovanni:	No, no... ho visto un bel film in televisione.
Giulio:	Strano! Non ti piacciono i film; dici sempre che preferisci programmi di attualità o documentari.
Giovanni:	Sì, è vero; ma il film di ieri sera era avvincente, si ispirava a un fatto realmente accaduto.
Giulio:	Era un film sentimentale?
Giovanni:	Macché... No. Era ambientato a Torino. Il protagonista era un siciliano, proprietario di una sartoria. Conduceva una vita normale e tranquilla con i suoi genitori. Aveva anche una ragazza con cui faceva già progetti di matrimonio.
Giulio:	Che cosa è successo? Che cosa ha turbato questa tranquillità?
Giovanni:	Un brutto giorno, i carabinieri l'hanno arrestato, nell'aspetto fisico somigliava tanto a un noto mafioso. Aveva anche una macchina uguale alla sua.
Giulio:	E non era colpevole?
Giovanni:	No. Era innocente. Pensa... si trattava di uno scambio di persona.
Giulio:	Poverino! E quanti anni è rimasto in prigione per questo errore?
Giovanni:	Ben sette anni.
Giulio:	Incredibile! Sette anni di prigione, senza avere fatto niente.
Giovanni:	Eh, proprio così. La storia del film ti colpisce proprio per questo. Capisci... quello che nel film accade al protagonista potrebbe succedere a te, a me, a qualsiasi persona. Entri in un incubo da cui è difficile uscire.

A1. Ascoltate e dite se le affermazioni seguenti sono vereo false. (traccia 10)

	V	F
1. Ieri sera Giovanni ha visto un film in televisione.		
2. Giovanni preferisce programmi di sport.		
3. Il film era ambientato a Torino.		
4. Il protagonista era siciliano.		
5. Il protagonista faceva il sarto.		
6. Il protagonista era sposato.		
7. È stato scambiato per un noto mafioso.		
8. È rimasto in carcere per sei anni.		

A2. Riascoltate e prendete appunti.

....

....

....

A3. Sulla base degli appunti presi, scrivete delle domande che farete poi agli altri studenti.

A4. Ascoltate e dite quello che ricordate.

1. Giulio è sorpreso che Giovanni abbia visto un film in televisione. Che cosa dice?
2. Giulio esprime dispiacere per quello che è successo al protagonista del film. Che cosa dice?
3. Giovanni è spaventato per questo fatto reale. Che cosa dice alla fine del dialogo?

B1. Ascoltate e formulate frasi, come nell'esempio.

Esempio:

Conosco Paolo da poco.
Chi è Paolo?
È il ragazzo che conosco da poco.

1. Invito spesso Francesco./ Chi è Francesco?
2. Incontro spesso Rosa. / Chi è Rosa?
3. Carlo abita nel mio appartamento. /Chi è Carlo?
4. Maria e Sandra sono qui da poco. /Chi sono Maria e Sandra?
5. Frequento volentieri Gianni e Gustavo./ Chi sono Gianni e Gustavo?
6. Conosco bene Maria e Francesca./ Chi sono Maria e Francesca?

B2. Ascoltate e formulate frasi, come nell'esempio.

Esempio:

Esco spesso con Angela.
Angela è la ragazza con cui esco spesso.

1. Ti parlo spesso di Maria.
2. Vado spesso da Gianna.
3. Faccio spesso regali a Paola.
4. Ho fiducia in Lucia.
5. Ho comprato il giornale per Pino.
6. Conto molto su Francesco.
7. M'incontro spesso con Renato.

C1. Completate con le parole mancanti.

Ieri sera Giovanni ha visto un film .... (1) televisione. Il film parlava di un fatto .... (2) accaduto. Era ambientato a Torino ma .... (3) protagonista era siciliano. I carabinieri l'hanno .... (4) per errore e, purtroppo, è rimasto in .... (5) per ben sette anni. Secondo Giovanni, quello .... (6) è successo nel film può accadere a chiunque.

D1. Ascoltate e ripetete le frasi seguenti.

1. Conduceva una vita normale e tranquilla con i suoi genitori.
2. Che cosa ha turbato questa tranquillità?
3. Quanti anni è rimasto in prigione?
4. Quello che accade al protagonista potrebbe succedere a qualsiasi persona.

D2. Ascoltate le parole seguenti guardando le illustrazioni.

questura

quadri

CORRIERE DELLA SERA

La Francia punisce Sarkozy

quotidiano

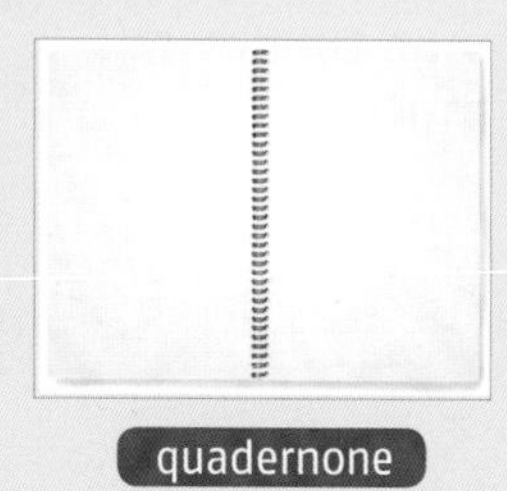
quadernone

15

quindici

D3. Riascoltate e ripetete a voce alta.

D4. Ascoltate e ripetete le frasi seguenti.

1. Pensi di fare una mostra dei tuoi quadri?
2. Quando vai in cartoleria prendi qualche quaderno e un quadernone.
3. Il mio paese si trova a quindici chilometri dal tuo.
4. Vado in questura per parlare con il questore.
5. Quale quotidiano leggi di solito?

D5. Completate le parole con "qu" o "cqu".

1. L'a.........a del rubinetto è buona.
2. Ogni due a.........isti c'è un regalo.
3. Che profumo! Ho già l'a.........olina in bocca.
4. Paolo ha con.........istato la moglie con la sua simpatia.
5. Sono del segno dell'A.........ario e tu di che segno sei?
6. Facciamo un a.........ilone?
7. Abbiamo un a.........irente per la nostra casa che vogliamo vendere.
8. L'a.........ila è un uccello rapace.

UNITÀ 06
UN PROGRAMMA INTERESSANTE

Attività di pre-ascolto

Scambiatevi le domande seguenti.

- Quali città italiane avete visitato?
- Quale vi è piaciuta di più e perché?

Cancellate quello che non si trova a Firenze, come nell'esempio.

X COLOSSEO

☐ GALLERIA DEGLI UFFIZI

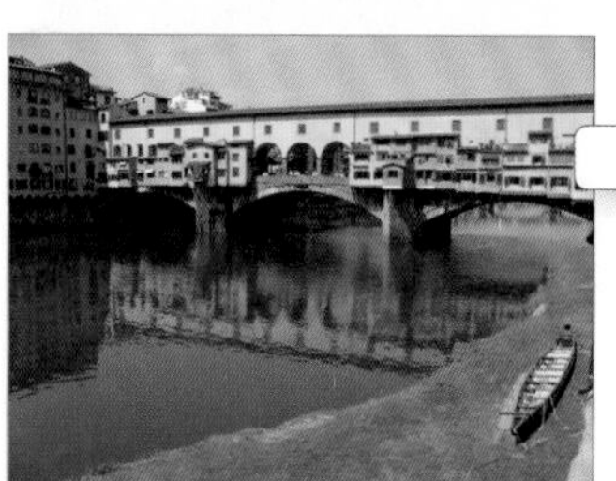

☐ PONTE VECCHIO

☐ LA CAPPELLA SISTINA

☐ TORRE PENDENTE

☐ PIAZZA DELLA SIGNORIA

PIAZZA SAN MARCO

PALAZZO PITTI

A. Ascoltate il testo seguente. (traccia 11)

Michele: Eric, Eric, sono qui.
Eric: Ciao, Michele. Grazie per essere venuto a prendermi.
Michele: Di niente. Figurati! Dimmi! Hai fatto un buon viaggio?
Eric: Sì, ho dormito profondamente in un comodo vagone letto.
Michele: Bene, bene! Sono contento che tu abbia fatto un buon viaggio, perché ci aspetta una giornata intensa e ricca di cose interessanti da vedere.
Eric: Hai già programmato tutto?
Michele: Naturalmente. Purtroppo resterai a Firenze solo pochi giorni. Ma questi pochi giorni saranno sufficienti per convincerti che Firenze è la città più bella d'Italia.
Eric: Dici? Mah ... Dopo che ho visitato Roma, dubito che Firenze sia la più bella città d'Italia.
Michele: Vedrai, mio caro, se non cambierai idea alla fine del tuo soggiorno fiorentino.
Eric: Sarà... A proposito... Come ci muoviamo per la città? In macchina?
Michele: Neanche per idea. Ho già noleggiato due bici. Non dici sempre che ti piace andare in bici? E poi non sei un convinto ambientalista?
Eric: Sì, sì, certo; siamo sempre contro l'inquinamento. Hai ragione. Allora cosa mi fai vedere?
Michele: In mattinata, dopo che avremo visitato il centro, faremo una passeggiata sul ponte Vecchio.
Eric: Hai pensato anche a qualche ristorante per il pranzo? Sai, sei così ospitale... vorrei almeno offrirti il pranzo... E, poi, ti ricordi, sì, che sono una buona forchetta e curioso di assaggiare piatti tipici...
Michele: Ho pensato a tutto. Pranzeremo in una trattoria del centro che offre piatti tipici come la ribollita, la bistecca alla fiorentina e la schiacciata dolce; naturalmente ho già prenotato.
Eric: Perfetto! E nel pomeriggio?
Michele: Andremo agli Uffizi ad ammirare opere di Giotto, Caravaggio, Tintoretto, Botticelli.
Eric: Ma così... saremo stanchi morti stasera. Andremo a letto presto, spero.
Michele: No... no, ci aspetta uno spettacolo di musica classica al teatro Verdi. La musica classica è motivo d'orgoglio in questa città d'arte e di cultura.
Eric: Sì, sì... Non c'è che dire. Un programma davvero interessante.

A1. Ascoltate e dite se le affermazioni seguenti sono vere o false. (traccia 12)

	V	F
1. Eric è arrivato in macchina.		
2. Eric ha fatto un buon viaggio.		
3. Resterà a Firenze per molti giorni.		
4. Secondo Eric, Firenze è più bella di Roma.		
5. Michele ha prenotato il pranzo in un ristorante.		
6. Nel pomeriggio andranno agli Uffizi.		
7. Vedranno un balletto al teatro Verdi.		
8. Non andranno a letto presto.		

A2. Riascoltate e prendete appunti.

A3. Sulla base degli appunti presi, scrivete delle domande che farete poi agli altri studenti.

Esempio: Quanto tempo resterà a Firenze Eric?

B1. Ascoltate e dite quello che ricordate.

1. Al suo arrivo, Eric ringrazia Michele. Che cosa dice?
2. Eric ricorda a Michele che gli piace mangiare. Che cosa dice?
3. Eric è contento del programma della giornata. Che cosa dice?

B2. Scegliete la parola giusta per ogni definizione.

Inquinamento - noleggiare - vagone letto - ambientalista

1. Persona che rispetta l'ambiente
2. Prendere e pagare per un tempo limitato una macchina, una bici
3. Parte del treno dove è possibile dormire
4. Problema dell'ambiente dovuto a gas di scarico, sostanze chimiche

C1. Ascoltate e trasformate, come nell'esempio.

Esempio:

Prima pranzeremo e poi prenderemo il caffè.
Dopo che avremo pranzato, prenderemo il caffè.

1. Prima studieremo e poi usciremo.
2. Prima ascolterai e poi parlerai.
3. Prima farò la spesa e poi andrò a casa.
4. Prima lavorerete e poi vi rilasserete.
5. Prima vedrà la partita e poi andrà a letto.
6. Prima leggeranno la posta e poi risponderanno.

C2. Ascoltate e trasformate come nell'esempio.

Esempio:

Secondo me, Roma è la più bella città d'Italia.
Penso anch'io che sia la più bella città d'Italia.

1. Secondo me, questo vino è ottimo.
2. Secondo me, loro sono stanchi.
3. Secondo me, Mario e Paola cantano bene.
4. Secondo me, i ragazzi hanno paura.
6. Secondo me, Alessia studia poco.
7. Secondo me, i Martini vendono molto.
8. Secondo me, Eric parte presto.

C3. Ascoltate e trasformate, come nell'esempio.

Esempio:

Ho fatto un buon viaggio.
Sono contento che tu abbia fatto un buon viaggio.

1. Ho superato l'esame.
2. Ho finito l'università.
3. Ho vinto alla lotteria.
4. Francesca è arrivata prima alla gara.
5. I Rossi sono andati in vacanza.
6. Abbiamo mangiato bene.

D1. Ascoltate e completate con le parole mancanti. (traccia 11)

Michele: Eric, Eric, sono qui.
Eric: Ciao, Michele. Grazie per essere venuto a prendermi.
Michele: Di niente. ....! Dimmi! Hai fatto un buon viaggio?
Eric: Sì, ho dormito .... in un comodo vagone letto.
Michele: Bene, bene. Sono contento che tu abbia fatto un buon viaggio, perché ci aspetta una giornata .... e ricca di cose interessanti da vedere.
Eric: Hai già programmato tutto?
Michele: Naturalmente. Purtroppo resterai a Firenze solo pochi giorni. Ma questi pochi giorni saranno sufficienti per .... che Firenze è la città più bella d'Italia.
Eric: Dici? Mah ... Dopo che ho visitato Roma, ... che Firenze sia la più bella città d'Italia.
Michele: Vedrai, mio caro, se non cambierai idea alla fine del tuo .... fiorentino.
Eric: Sarà... A proposito...Come ci muoviamo per la città. In macchina?
Michele: Neanche per idea. Ho già .... due bici. Non dici sempre che ti piace andare in bici? E poi non sei un convinto ambientalista?
Eric: Sì, sì, certo; siamo sempre contro l'inquinamento. Hai .... Allora cosa mi fai vedere?
Michele: In mattinata, dopo che avremo visitato il centro, faremo una passeggiata sul .... Vecchio.

Eric: Hai pensato anche a qualche ristorante per il pranzo? Sai, sei così ospitale... vorrei almeno .... il pranzo... E, poi, ricordi, sì, che sono una buona forchetta e curioso di assaggiare piatti tipici...

Michele: Ho pensato a tutto. Pranzeremo in una trattoria del centro che offre piatti tipici come la ...., la bistecca alla fiorentina e la schiacciata dolce; naturalmente ho già ....

Eric: Perfetto! E nel pomeriggio?

Michele: Andremo agli Uffizi ad ammirare opere di Giotto, Caravaggio, Tintoretto, Botticelli.

Eric: Ma così... saremo stanchi morti stasera. Andremo a letto presto, spero.

Michele: No, no, ci aspetta uno spettacolo di musica classica al teatro .... La musica classica è motivo d'orgoglio in questa città d'arte e di cultura.

Eric: Sì, sì. Non c'è che dire. Un programma .... interessante.

E1. Ascoltate e ripetete le frasi seguenti.

1. Eric, Eric, sono qui.
2. Ci aspetta una giornata intensa e ricca di cose interessanti da vedere.
3. Vedrai, mio caro, se non cambierai idea...
4. Dopo che avremo visitato il centro, faremo una lunga passeggiata.
5. Vorrei almeno offrirti il pranzo.
6. Perfetto! E nel pomeriggio?
7. Andremo agli Uffizi ad ammirare opere di Giotto, Caravaggio...

E2. Ascoltate e indovinate la parola. (nella parola c'è la consonante r)

1. Può essere scura, chiara, alla spina. È famosa quella tedesca.
2. È il contrario di generoso.
3. È il mobile dove mettiamo i vestiti.
4. Azioni commerciali che si fanno per guadagnare soldi.
5. Si mangia a colazione e può essere vuoto, con marmellata, crema.
6. Non è dolce ma...
7. Chi trova un amico, trova un_____
8. Può essere rosso o verde o giallo e serve per regolare il traffico.

E3. Uno studente legge i verbi e l'altro dice da quali aggettivi derivano, come nell'esempio.

Studente A		*Studente B*
approfondire	→	*profondo*
1. incuriosire	→	....
2. arricchire	→	....
3. abbellire	→	....
4. accontentare	→	....
5. addolcire	→	....
6. allungare	→	....
7. invecchiare	→	....

F1. Ascoltate e dite di quale città italiana si parla. Sceglietela tra le seguenti.

Brindisi - Genova - L'Aquila - Milano - Perugia - Verona

1. Si trova in Lombardia. È la città del panettone ed è famosa per il suo Duomo.
2. Si trova in Abruzzo. È famosa per la fontana delle 99 cannelle. È vicino al Gran Sasso. Ha il nome di un uccello.
3. Si trova in Puglia. Ha un grande porto a forma di una testa di cervo. I Romani la chiamavano Brundisium.
4. Si trova in Liguria. È la città del pesto. È sul golfo che porta il suo nome.
5. Si trova nel Veneto. È la città di Romeo e Giulietta. L'Arena è il suo monumento più famoso.
6. Si trova in Umbria. È la città dei "baci". Il monumento più noto è la Fontana Maggiore.

Milano

Perugia

Brindisi

Verona

L'Aquila

Genova

G1. Date delle brevi informazioni turistiche sulle città più importanti del vostro Paese.

UNITÀ 07
PAURA DI VOLARE

Attività di pre-ascolto

Scambiatevi le domande seguenti.

- Hai paura dell'aereo?
- Eri tranquillo/a quando hai preso l'aereo per la prima volta?
- Hai preso l'aereo molte volte?
- Qual è il tuo stato d'animo il giorno prima della partenza?

A. Ascoltate il testo seguente. (traccia 13)

Signor Bianchi: Cara, in caso di disgrazia, ti avvertono subito.
Moglie: Chi mi avverte?
Signor Bianchi: La compagnia aerea. Per gli annunci degli incidenti sono molto efficienti.
Moglie: Ma va' là che non ti succede niente. Me lo dici ogni volta prima di prendere l'aereo.
Marito: Ah, ricordati che Marco mi deve sempre quei soldi.
Moglie: Non mi dire che non te li ha ancora restituiti. Sono già quattro partenze che me lo dici.
Quasi sei anni. È una vergogna!
Signor Bianchi: Ti ho ricordato solo un mio vecchio credito. Forse, se l'aereo cade, si commuove e te li ridà.
È il mio più caro amico dopotutto. I bambini, ricordami ai bambini, quando non ci sarò più.
Moglie: Va beeene...
Signor Bianchi: Claudio è troppo piccolo e non potrà ricordarsi del suo papà; sarai tu a parlargli di me, quando sarà in grado di capire.
Figlio: Papà, che faccia da funerale che hai! Scommetto che domani prendi l'aereo.
Su, papà stai tranquillo! Troppe volte l'hai preso e non è mai successo niente.
Signor Bianchi: State vicini alla mamma e tu, Rita, promettimi di dimagrire e ti prego abbandona l'idea di fare la cantante.
Figlia: Uffa, papà, ogni volta che devi partire sempre la solita storia. Sì, basta con questi discorsi e poi perché continui a prendere l'aereo se devi soffrire tanto.

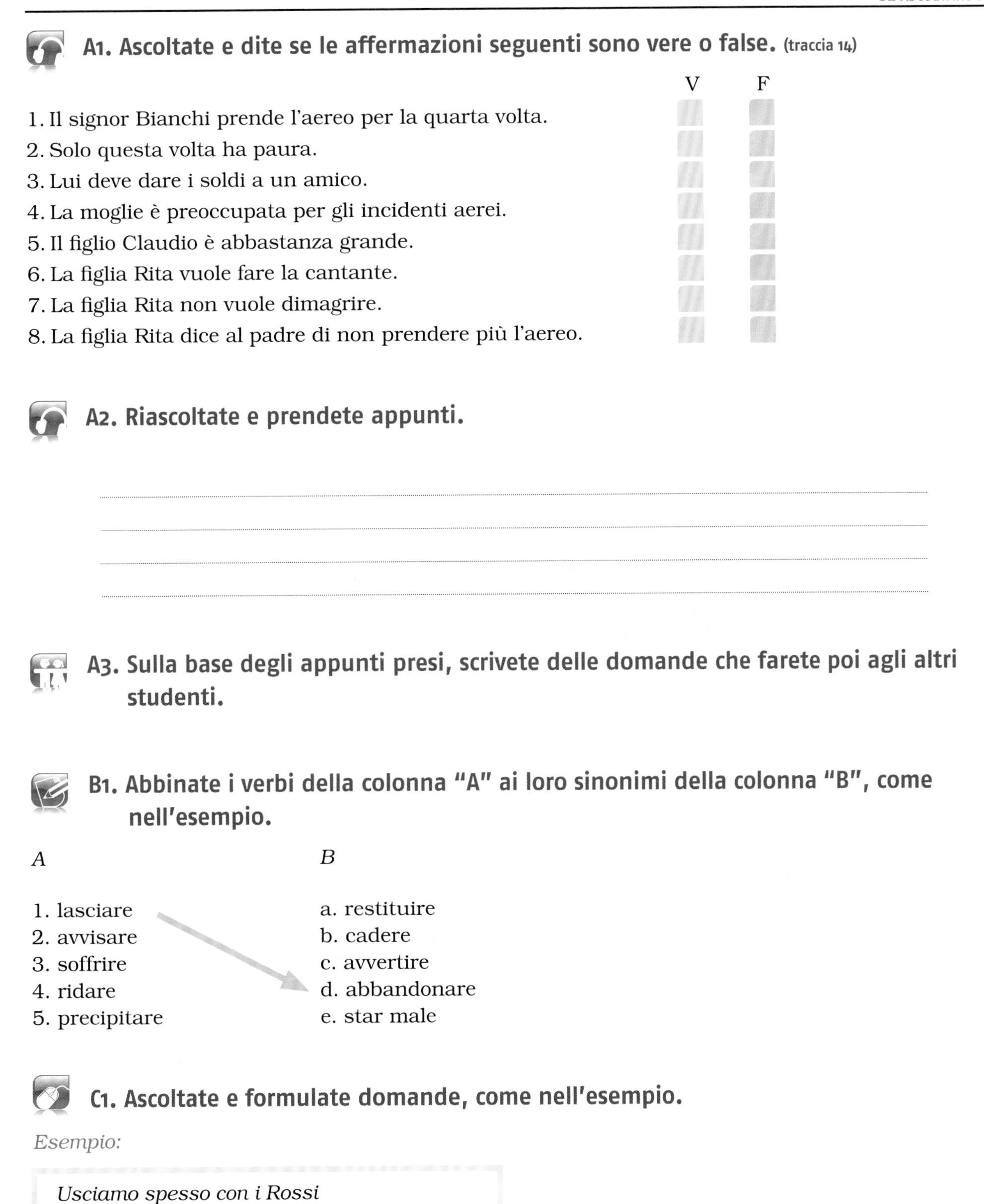

A1. Ascoltate e dite se le affermazioni seguenti sono vere o false. (traccia 14)

	V	F
1. Il signor Bianchi prende l'aereo per la quarta volta.		
2. Solo questa volta ha paura.		
3. Lui deve dare i soldi a un amico.		
4. La moglie è preoccupata per gli incidenti aerei.		
5. Il figlio Claudio è abbastanza grande.		
6. La figlia Rita vuole fare la cantante.		
7. La figlia Rita non vuole dimagrire.		
8. La figlia Rita dice al padre di non prendere più l'aereo.		

A2. Riascoltate e prendete appunti.

....

....

....

....

A3. Sulla base degli appunti presi, scrivete delle domande che farete poi agli altri studenti.

B1. Abbinate i verbi della colonna "A" ai loro sinonimi della colonna "B", come nell'esempio.

A	*B*
1. lasciare	a. restituire
2. avvisare	b. cadere
3. soffrire	c. avvertire
4. ridare	d. abbandonare
5. precipitare	e. star male

C1. Ascoltate e formulate domande, come nell'esempio.

Esempio:

Usciamo spesso con i Rossi
Con chi uscite spesso?

1. Parliamo spesso dei nostri professori.
2. Vado volentieri dai nonni.
3. Conto molto sui miei amici.
4. Maria esce spesso con Paolo.
5. I genitori si preoccupano per i figli.
6. Credo negli amici.

C2. Ascoltate e trasformate, come nell'esempio.

Esempio:

> *Le persone che vogliono partecipare alla gita devono prenotarsi.*
> *Chi vuole partecipare alla gita deve prenotarsi.*

1. Le persone che vogliono il certificato devono fare la richiesta.
2. Le persone che hanno il biglietto possono entrare.
3. Le persone che vogliono fare l'esame devono pagare una tassa.
4. Le persone che prendono la metropolitana devono avere il biglietto.
5. Le persone che partecipano al concorso devono spedire il curriculum.
6. Le persone che vogliono avere più informazioni possono trovarle in Internet.

D1. Ascoltate e ripetete le frasi seguenti. Fate attenzione all'intonazione!

1. Papà, che faccia da funerale che hai!
2. È una vergogna!
3. Uffa, papà, ogni volta che devi partire, sempre la solita storia!
4. Va beeene!
5. Su, papà, stai tranquillo!

D2. Ascoltate le frasi seguenti ed indicate con un segno (x) i relativi stati d'animo.

	stupore	entusiasmo	noia	rabbia
1.				
2.				
3.				
4.				
5.				
6.				
7.				
8.				

D3. Uno studente legge una frase della colonna "A"e l'altro sceglie una frase della colonna "B", come nell'esempio.

A

1. Purtroppo non possiamo più partire con voi.
2. Abbiamo vinto il campionato.
3. Hanno abbandonato e maltrattato il loro cane.
4. Il mio vicino disturba anche la notte.
5. Devo risolvere i miei problemi economici.
6. Paola ha vinto una vacanza di due settimane.

B

a. È una vergogna!
b. Che fortuna!
c. Che peccato!
d. Accidenti!
e. Coraggio!
f. Urrà!

UNITÀ 08
UN ATTORE SI RACCONTA

Attività di pre-ascolto

Secondo voi, quali sono le cose importanti per andare d'accordo in una famiglia numerosa?

- Organizzazione
- Severità dei genitori
- Disciplina
- Rispetto
- Casa spaziosa
- Abitudini e gusti simili

A. Ascoltate il testo seguente. (traccia 15)

Parte A

Giornalista: Lei oltre a essere un attore della televisione è anche un maestro della scuola elementare. Come riesce a conciliare il lavoro di attore con quello di maestro?

Attore: Do la precedenza a quello di attore e accetto solo qualche supplenza nella scuola. Per il mio lavoro d'attore, scelgo sempre io i ruoli e rifiuto le proposte che non mi piacciono.

Giornalista: I suoi alunni la riconoscono?

Attore: Non tutti. Ma appena uno di loro mi riconosce lo dice subito agli altri, anche se gli dico di mantenere il segreto.

Giornalista: Che insegnante è?

Attore: Molto severo.

Giornalista: Mi parli un po' della sua famiglia.

Attore: Mio padre è siciliano, mia madre, milanese. Appena sposati, sono andati a vivere nella periferia di Roma. Ho avuto un'infanzia molto serena. I miei genitori erano molto presenti. Quando avevo 7 anni, siamo andati in Germania e qui, mio padre ha fatto tanti lavori diversi per mantenere la famiglia. Sa, siamo nove figli.

Giornalista: Come si è trovato in Germania?

Attore: Non sono riuscito ad integrarmi. Per questo, quando siamo diventati maggiorenni, io e i miei otto fratelli siamo tornati a Roma. E qualche anno fa sono venuti anche i nostri genitori.

Giornalista: Certo crescere nove figli non sarà stato facile. Come ci sono riusciti?

Attore: Con severità e organizzazione. Mamma era molto determinata nei nostri confronti. All'ingresso di casa aveva messo una bacheca con dei biglietti dove erano scritti i turni di pulizia. Una volta la settimana c'era chi metteva in ordine le camere, chi puliva i bagni, chi lavava i piatti.
Non potevamo permetterci la lavastoviglie.

A1. Indicate con un segno (x) se le affermazioni seguenti sono presenti o no nel testo.

	Sì	No
1. Faccio qualche supplenza nella scuola.		
2. Accetto tutti i ruoli che mi danno.		
3. Non ho avuto un'infanzia serena.		
4. Quando avevo sette anni siamo andati in Germania.		
5. Siamo otto figli.		
6. Mio padre ha fatto molti lavori.		
7. In Germania non sono riuscito a integrarmi.		
8. Mia madre era molto determinata.		
9. Siamo tornati a Roma tutti insieme.		

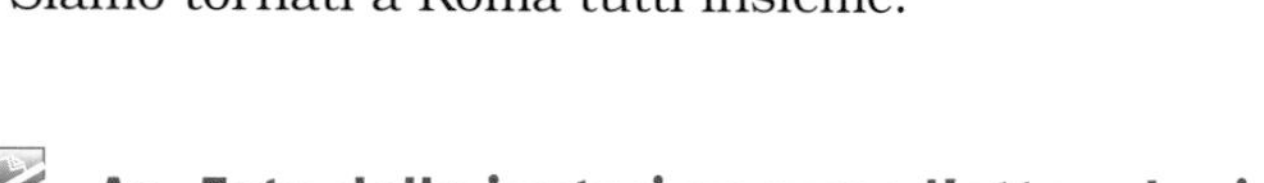

A2. Fate delle ipotesi su come l'attore ha iniziato la sua carriera.

a. per passione
b. per caso
c. leggendo un annuncio

Un attore si racconta **(traccia 16)**

A2. Parte B

Giornalista: E come ha iniziato la sua carriera d'attore?

Attore: Un giorno lavoravo come tecnico e sistemavo le luci sul palco del teatro. Per provarle, mi sono messo al centro del palcoscenico. Ho capito che mi sarebbe piaciuto fare l'attore.
Poi, un giorno ho accompagnato la mia fidanzata da un insegnante di recitazione e lui mi ha chiesto: "Cosa vuoi fare nella vita?" "Mi piacerebbe fare l'attore", ho risposto. Allora mi ha detto di portare un monologo dell'Amleto per vedere se ero capace. È andata bene e mi ha consigliato di fare domanda al Centro sperimentale di Cinematografia. E così otto anni fa ho cominciato a frequentare i corsi di recitazione. Per mantenermi, davo lezioni private di tedesco e intanto facevo i provini, che mi hanno permesso di partecipare alle fiction televisive.

A4. Riascoltate tutto il testo e prendete appunti.

....

....

....

....

....

A5. Sulla base degli appunti presi, scrivete delle domande che farete poi agli altri studenti.

Esempio:

Quanti anni aveva l'attore quando la sua famiglia è andata in Germania?

B1. Ascoltate e rispondete come nell'esempio.

Esempio:

Il nuovo studente si è integrato nella classe?
No, non ci è riuscito

1. Loro hanno trovato lavoro?
2. Paola ha preso i biglietti?
3. Avete preso il treno?
4. Signor Daniele, ha aperto quella valigia?
5. Maria, hai capito i miei appunti?
6. Angela e Franca hanno preso la patente?

B2. Ascoltate e trasformate, come nell'esempio.

Esempio:

Corre a casa.
È corso a casa.

1. Diventano maggiorenni.
2. La vita cambia.
3. L'attrice piace al pubblico.
4. La lezione comincia presto.
5. I genitori sembrano determinati.
6. Il turno finisce nel pomeriggio.

C1. Completate con le parole mancanti il testo seguente.

L'attore è vissuto per molti anni in Germania, ma quando è diventato .... (1), è tornato a Roma con i suoi fratelli. Qui ha fatto molti lavori e, tra questi, anche quello di maestro. Ha cominciato per caso la sua .... (2).
Un giorno, mentre lavorava come .... (3) in un teatro, si è messo al centro del palcoscenico e ha capito che gli .... (4) fare l'attore. Non interpreta tutti i .... 5) che gli propongono, ma solo quelli gli piacciono.

D1. Ascoltate e ripetete le frasi seguenti.

1. Appena uno di loro mi riconosce lo dice subito agli altri.
2. Mio padre ha fatto tanti lavori diversi per mantenere la famiglia.
3. Sa, siamo nove figli.
4. All'ingresso di casa aveva messo una bacheca con dei biglietti.
5. Non potevamo permetterci la lavastoviglie.
6. Mi ha consigliato di fare domanda al centro di cinematografia.

D2. Ascoltate e formate il plurale delle frasi seguenti.

1. Lo sbadiglio è contagioso.
2. Lo sbaglio è grave.
3. Lo studente è svogliato.
4. Lo spettacolo è meraviglioso.
5. Lo scoglio è alto.
6. L'anello è costoso.
7. L'occhio è arrossato.
8. Lo zaino è sullo scaffale.

D3. Ascoltate e indovinate la parola. (nella parola c'è il gruppo consonantico gli)

1. Una macchina per lavare piatti, pentole, posate..
2. L'uomo sposato è il marito, la donna sposata è...
3. La persona che vende i biglietti.
4. Si tiene in tasca o in borsa e ci si mettono i soldi.
5. Sono sugli alberi e cadono in autunno.
6. Contiene vino, acqua, ecc... Può essere di plastica, di vetro, di un litro...
7. Significa *più buono/a.*
8. È sinonimo di *errore.*
9. La parte della macchina dove mettiamo i bagagli.

UNITÀ 09
IN CERCA DI LAVORO

Attività di pre-ascolto

- Quali sono, secondo voi, i requisiti importanti per trovare un lavoro?
- C'è disoccupazione nel vostro Paese? Parlatene.

A. Ascoltate il testo seguente. (traccia 17)

Sig. Marini: Buongiorno!
Dirigente: Buongiorno. Prego, si accomodi.
Sig. Marini: Grazie.
Dirigente: Lei è il signor Vincenzo Marini?
Sig. Marini: Sì.
Dirigente: Leggo sul suo curriculum che è laureato in Economia e Commercio e ha avuto esperienze di lavoro in altre aziende.
Sig. Marini: Sì, sì, ci sono anche delle lettere di referenze allegate.
Dirigente: Ah..., sì, eccole. Sono davvero delle ottime referenze. Complimenti!
Sig. Marini: La ringrazio.
Dirigente: Sa, sono importanti queste referenze. Abbiamo ricevuto molte domande e dobbiamo fare una grande selezione perché, come saprà, possiamo assumere solo cinque persone.
Sig. Marini: Sì, sì, lo so, era scritto nel bando.
Dirigente: Cominciamo. La domanda che ho fatto un po' a tutti. Come mai ha scelto proprio la nostra azienda? Lei non abita neanche in questa città e dovrebbe fare su e giù... no? Dovrebbe fare il pendolare per venire a lavorare.
Sig. Marini: Vede, sono cresciuto molto professionalmente in questi anni e mi sento pronto per un'azienda importante, conosciuta a livello internazionale, proprio com'è la vostra.
Dirigente: Bene, bene. Ecco, Lei... dovrebbe occuparsi di aspetti amministrativi dell'azienda. Bisogna essere precisi, scrupolosi. Pensa di avere queste doti?
Sig. Marini: Penso di sì. Gli amici dicono che sono anche troppo pignolo, ... un perfezionista.
Dirigente: Parla inglese fluentemente, spero.
Sig. Marini: Sì, certo. Dopo la laurea, sono stato due anni in Inghilterra per migliorare il mio inglese. Sono stato anche in Spagna e ho una buona conoscenza dello spagnolo.
Dirigente: Vedo qui... che conosce tutti i programmi informatici richiesti. Bene. Mi pare che possa bastare. Mi sembra che abbia molti dei requisiti richiesti... Comunque le faremo sapere fra qualche giorno. Arrivederla.
Marini: Arrivederla, grazie.

A1. Ascoltate e dite se le affermazioni seguenti sono vere o false. (traccia 18)

	V	F
1. Il signor Marini è laureato in Economia e Commercio.		
2. Ha presentato delle lettere di referenze.		
3. Possono assumere solo sei persone.		
4. Il signor Marini farebbe su e giù da casa.		
5. I suoi amici dicono che è superficiale.		
6. Conosce pochi programmi informatici.		
7. È stato due anni in Inghilterra.		
8. Ha un'ottima conoscenza dello spagnolo.		

A2. Completate con le informazioni che conoscete una parte del curriculum del signor Marini.

FORMATO EUROPEO PER IL CURRICULUM VITAE

Informazioni personali

Nome	Marini Carlo
Indirizzo	Via Aurora N.4
Telefono	0002456879
E-mail	maricarlo@com.it
Nazionalità	italiana
Data di nascita	15-2-1979
Istruzione e formazione	Laurea in economia e commercio con la votazione di 110/110
Madrelingua	....
Altre lingue	....
Capacità e competenze tecniche	....
Patente o patenti	....

A3. Riascoltate e prendete appunti.

....

....

....

....

....

A4. Sulla base degli appunti presi, scrivete delle domande che farete poi agli altri studenti.

Esempio:

Quali documenti ha presentato il signor Marini?

B1. Scrivete per ogni definizione la parola giusta, scegliendola tra le seguenti.

assumere - dote - pendolare - referenze

1. Informazioni sulle capacità e sul lavoro svolto da qualcuno
2. Fare un contratto di lavoro a qualcuno
3. Aspetto positivo del carattere
4. Chi per lavoro o studio si sposta ogni giorno in una località diversa da quella dove abita.

C1. Ascoltate e rispondete come nell'esempio.

Esempio:

Signora, mi invita alla Sua festa?
Sì, La invito.

1. Signore, mi corregge quando sbaglio?
2. Signorina, mi viene a trovare?
3. Signora, mi telefona alle nove, per favore?
4. Signore, mi avvisa, quando arriviamo?
5. Signorina, mi aiuta, per favore?
6. Signora, mi ripete tutto più lentamente, per favore?

D1. Ascoltate e ripetete le frasi seguenti.

1. Lei è il signor Vincenzo Marini?
2. Bisogna essere precisi.
3. Sono stato anche in Spagna.
4. Ho una buona conoscenza dello spagnolo.
5. Gli amici dicono che sono anche troppo pignolo.

D2. Ascoltate e indovinate la parola. (nella parola c'è il gruppo consonantico gn)

1. Si scrive insieme al nome e indica la famiglia di appartenenza.
2. Lavora il legno e fa mobili.
3. Progetta case, ponti, strade...
4. Tiene lezioni in una scuola.
5. Se li danno i pugili sul ring.
6. È la moglie di mio fratello.
7. Significa dare. Lo fa il postino quando porta un pacco, una lettera...

E1. Confrontatevi sulle domande seguenti.

- Pensate che il signor Marini abbia buone possibilità di essere assunto?
- Se pensate di sì, spiegate il perché.

F1. Scrivete il vostro curriculum.

FORMATO EUROPEO PER IL CURRICULUM VITAE

Informazioni personali

Nome ....

Indirizzo ....

Telefono ....

E-mail ....

Nazionalità ....

Data di nascita ....

Esperienza lavorativa ....

- *Date (da – a)* ....
- *Tipo di azienda o settore* ....
- *Tipo di impiego* ....
- *Principali mansioni e responsabilità* ....

Istruzione e formazione

- *Date (da – a)* ....
- *Nome e tipo di istituto di istruzione* ....
- *Principali materie / abilità professionali oggetto dello studio* ....
- *Qualifica conseguita* ....

Capacità e competenze personali ....

Acquisite nel corso della vita e della carriera ma non necessariamente riconosciute da certificati e diplomi ufficiali.

Madrelingua ....

Altre lingue ....

- *Capacità di lettura*
- *Capacità di scrittura*
- *Capacità di espressione orale*

Capacità e competenze tecniche ....

Con computer, attrezzature specifiche, macchinari, ecc.

Altre capacità e competenze ....

Competenze non precedentemente indicate.

Patente o patenti ....

Ulteriori informazioni ....

G1. Scegliete un lavoro che vi piacerebbe fare. Immaginate e drammatizzate un dialogo con un possibile datore di lavoro.

UNITÀ 10

SU UNA PANCHINA DI UNA STAZIONE

Attività di pre-ascolto

Sono molte le persone povere che non hanno una casa e dormono sulle panchine, nei parchi, sui marciapiedi con grandi problemi di sicurezza.
Com' è la situazione nel vostro Paese? Parlatene.

A. Ascoltate il testo seguente. (traccia 19)

Parte A

Conduttore: Sentiamo una storia bellissima, davvero speciale. Stiamo per conoscere la storia di due persone che si sono incontrate sulla panchina di una stazione ferroviaria. Benvenuti a Maria e Carlo. Prego, accomodatevi! Prima di tutto, grazie di essere venuti. Maria, che cosa ha cambiato completamente la sua vita?

Maria: La separazione da mio marito. Avevo 5 figli e dovevo pagare i debiti e per questo sono andata in depressione. Non sapevo cosa fare e così ho deciso di andare via di casa.

Conduttore: Lei ha sempre avuto un lavoro che mantiene ancora oggi, quello d'infermiera, però suo marito è riuscito a portarle via tutto e a ridurla in miseria.

Maria: Sì, è andata così, non avevo più un posto dove andare e così sono finita su una panchina alla stazione.

Conduttore: Anche lei Carlo era sposato, aveva un figlio e una vita normale. Lei che lavoro faceva?

Carlo: L'operaio.

Conduttore: Che cosa è successo dopo?

Carlo: Il divorzio, il fallimento della ditta. Tutto insieme.

Conduttore: Quindi anche Lei è rimasto senza niente. Da quel momento è stato costretto anche lei ad andare a dormire su una panchina della stazione. Se riesce a descrivercelo, che cosa significa vivere in questo modo. Come si riesce a trovare la forza per sopravvivere?

Carlo: Non è semplice spiegarlo. Il disagio è che sei in una stazione dove passa tanta gente e, stando in quelle condizioni, si crea un muro. Tu sei da questa parte e gli altri sono dall'altra. E quel muro diventa ogni giorno più spesso. E allora la forza o la trovi da solo o sei perso.

Conduttore: Maria, per una donna vivere accanto ai binari deve essere ancora più terribile.

Maria: Sì, è vero.

A1. Scrivete quello che ricordate di Carlo e Maria.

Storia di Carlo	*Storia di Maria*
Ha lavorato come operaio.	

Su una panchina di una stazione

Parte B (traccia 20)

Conduttore: Poi c'è stato un giorno fortunato, il giorno del vostro primo incontro.

Carlo: Anche se dormivo su una panchina, lavoravo in un'associazione di volontariato. Un giorno mentre lavoravo, ho visto questa donna su una panchina e le ho detto: "Cosa ci fai qua?"

Conduttore: È stato un colpo di fulmine?

Carlo: Sì.

Conduttore: Maria, che cosa le è piaciuto di Carlo?

Maria: La sua disponibilità. Infatti mi ha accompagnato al centro dove lavorava per trovarmi un posto dove dormire. Io mi sono fidata subito di lui e l'ho seguito.

Conduttore: Insomma, ha avuto fiducia in lui.

Maria: Sì, è andata proprio così.

Conduttore: Poi a marzo siete riusciti a trovare una casa tutta per voi. Volete descrivercela.

Maria: È un monolocale, con una piccola cucina e un bagno.

Conduttore: Lei ha detto che le è tornata la voglia di vedere la vita a colori. È per questo motivo, Maria, che ha cominciato a dipingere e a scrivere poesie?

Maria: Sì, a me piace dipingere e mi piacciono soprattutto i colori dell'arcobaleno, i colori chiari.

A2. Parlate della situazione attuale di Carlo e Maria.

A3. Carlo e Maria hanno un progetto per il futuro. Qual è, secondo voi? Fate un'ipotesi e ascoltate il seguito per verificarla.

Su una panchina di una stazione

Parte C (traccia 21)

Conduttore: Oggi state pensando a un progetto per i meno fortunati, i barboni . Ci parlate di questo progetto?

Carlo: L'idea è nata una notte in cui nevicava. Giorno dopo giorno abbiamo cominciato a pensare a qualcosa per i senzatetto. Per il momento non abbiamo molti soldi e riusciamo a portare a loro qualcosa di caldo e un po' di pane che ci regala qualche panettiere.

Conduttore: Che cosa vi piacerebbe realizzare?

Carlo: Ci piacerebbe creare una casa famiglia perché vogliamo ridare un po' di dignità alle persone che sono in mezzo alla strada. Vorremmo dare a loro la forza di rimettersi in piedi e credere nella vita.

Conduttore: È un'idea bellissima . Vi auguriamo di riuscirci. Noi facciamo un appello ai nostri ascoltatori per invitarli a contribuire alla realizzazione del vostro progetto.

A4. Dite qual è il loro progetto / quando è nato questo progetto. / di che cosa hanno bisogno per realizzarlo.

A5. Riascoltate tutto il testo e indicate con un segno (x) l'affermazione giusta.

1. Maria è andata via di casa
   - a) per la separazione e per i debiti
   - b) perché il marito l'aveva lasciata
   - c) per una vita diversa

2. Maria
   - a) lavora come infermiera
   - b) lavora ancora come infermiera
   - c) lavora come operaia

3. Carlo aveva perso
   - a) il figlio
   - b) la moglie
   - c) il lavoro

4. A Maria piace
   - a) dipingere e scrivere canzoni
   - b) dipingere
   - c) dipingere e scrivere poesie

5. Loro vorrebbero dare
   - a) un monolocale a ogni senzatetto
   - b) una casa comune ai senzatetto
   - c) soldi ai senzatetto

A6. Riascoltate il testo completo e prendete appunti.

....

....

....

....

A7. Sulla base degli appunti presi, scrivete delle domande, che farete poi agli altri studenti.

B1. Ascoltate e formate frasi, come nell'esempio.

Esempio:

Potete descrivere a noi la casa?
Potete descriverci la casa?

1. Potete descrivere a lui la macchina?
2. Potete descrivere a Maria l'appartamento?
3. Potete descrivere agli amici le foto?
4. Potete descrivere a noi i quadri?
5. Potete descrivere al conduttore la camera?
6. Potete descrivere a me le colleghe?

B2. Ascoltate e formate frasi, come nell'esempio.

Esempio:

Potete descrivere a noi la casa?
Potete descrivercela?

1. Potete descrivere a lui la macchina?
2. Potete descrivere a Maria l'appartamento?
3. Potete descrivere agli amici le foto?
4. Potete descrivere a noi i quadri?
5. Potete descrivere al conduttore la camera?
6. Potete descrivere a me le colleghe?

B3. Ascoltate e formate frasi, come nell'esempio

Esempio:

Mi diverto quando sto in compagnia.
Mi diverto stando in compagnia.

1. Mi diverto quando ascolto la musica.
2. Mi diverto quando chiacchiero con i colleghi.
3. Mi diverto quando faccio una festa.
4. Mi diverto quando esco con gli amici.
5. Mi diverto quando faccio una nuotata.
6. Mi diverto quando vedo un film comico.

C1. Ascoltate e ripetete le frasi seguenti.

1. Non sapevo cosa fare e così ho deciso di andare via di casa.
2. Sono finita su una panchina alla stazione.
3. Un giorno ho visto questa donna su una panchina.
4. A me piace dipingere.
5. L'idea è nata una notte in cui nevicava.
6. Facciamo un appello ai nostri ascoltatori per invitarli a contribuire.

C2. Ascoltate le parole guardando le illustrazioni.

panettiere

panno

conchiglia

ingresso

infermiere

invito

C3. Riascoltate e ripetete a voce alta.

C4. Ascoltate e ripetete le frasi seguenti.

1. Il panettiere ci dà del pane per i senzatetto.
2. Hai un panno per lavare il pavimento?
3. Se metti la conchiglia all'orecchio, puoi ascoltare il rumore del mare.
4. Hai ricevuto l'invito per le nozze di Angela?
5. L'ingresso della casa è angusto.
6. L'infermiere che mi assiste è giovane.

C5. Lo studente A dice l'aggettivo e lo studente B forma il contrario, come nell'esempio.

Studente A	*Studente B*
1. *fedele*	*infedele*
2. certo	....
3. ospitale	....
4. felice	....
5. esatto	....
6. sicuro	....
7. solito	....
8. stabile	....

D1. Abbinate ogni parola al rispettivo significato.

1. Debito	a) grande povertà
2. Miseria	b) condizione in cui non si hanno rischi o pericoli
3. Sicurezza	c) qualcosa che devo ad altri, può essere del denaro

D2. Dite la vostra opinione sulla storia di Carlo e Maria.

E1. Scrivete il seguito del testo seguente, che si riferisce alla storia di Carlo e Maria.

Carlo e Maria sono finiti a dormire su una panchina di una stazione ferroviaria per gravi motivi familiari e economici. Maria, pur avendo un lavoro si è ritrovata in miseria a causa del marito.

....
....
....
....
....
....
....
....
....
....
....
....
....
....

UNITÀ 11

IL MIO INCUBO ERA LA LINGUA

Attività di pre-ascolto

Che cosa vi suggerisce il titolo di questo testo. Fate delle ipotesi. A chi si riferisce:

- emigrati
- operai
- immigrati
- negozianti

A. Ascoltate i testi seguenti. (traccia 22)

Il signor Gaetano

Arrivai a Toronto nel '64, a 35 anni perché qui da noi non c'era lavoro e, in Canada, c'era bisogno di artigiani. Dieci giorni di nave, poi il treno. Alla stazione mi aspettava un paesano. Ricordo che in quell'anno arrivarono in Canada ben 60mila italiani.
Mi misi a cercare lavoro guardando i cartelli sulle vetrine dei negozi. Feci molti lavori. Il primo fu quello di falegname. La famiglia mi raggiunse qualche mese dopo. A quei tempi c'era una legge che oggi può sembrare strana: se entro cinque mesi non ti facevi raggiungere dalla famiglia, dovevi tornartene a casa.
Mia moglie non poteva adattarsi al tipo di vita, al clima e, per questo, piangeva tutto il giorno. Mi ricordo che una volta le dissi: "Torna in Italia se vuoi". Poi, per fortuna, si adattò e cominciò a lavorare in una fabbrica che produceva plastica. Oggi che i miei nipoti non vogliono parlare italiano ripenso ai miei problemi con l'inglese... era un incubo... era come essere muti...

Il signor Luigi

Emigrai negli Stati Uniti nel 1954, quando avevo 24 anni. Il viaggio fu lunghissimo. Presi il piroscafo "Vulcania" che andava a New York e ci vollero 13 giorni per arrivarci. Poi in treno a Chicago e, da lì, a San Francisco dove alla stazione mi aspettava la mia sorella maggiore che già viveva negli Stati Uniti. Non avevo nessuna idea di che lavoro avrei potuto fare, ma da noi non c'era nulla e dunque... San Francisco mi sembrò un sogno. Era fantastica, ricca, bellissima...
Iniziai con uno dei lavori peggiori che si possono immaginare: il conciatore di pelle, un lavoro pericoloso per i prodotti chimici che si usavano. Non facevo che lavorare, non ricordo altro: la sera crollavo e la mattina ricominciavo.
Lavorai in conceria due anni, poi, presso una ditta per otto ore al giorno sei giorni su sette. La sera frequentavo una scuola di lingua. Era un incubo non poter parlare, è come essere muti. E all'inizio dovevo farmi accompagnare ovunque da mia sorella.
Poi mi sposai con una donna più giovane di me di dieci anni, che incontrai a San Francisco. Anche lei era italiana. La conoscevo e mi era sempre piaciuta...

A1. Completate la tabella seguente.

	la città in cui emigrò	anno	età	lavori	problemi	famiglia
Il signor Gaetano						
Il signor Luigi						

A2. Ascoltate e dite se le affermazioni seguenti sono vere o false. (traccia 23)

	V	F
1. Il signor Gaetano trovò la sorella ad aspettarlo alla stazione.		
2. Fece molti lavori.		
3. La sua famiglia lo raggiunse un anno dopo.		
4. Sua moglie aveva problemi ad abituarsi al clima e al tipo di vita.		
5. Il signor Luigi lavorò in un'industria chimica.		
6. Il signor Luigi lavorava molte ore al giorno.		
7. Sua moglie era più vecchia di lui.		
8. Il signor Luigi frequentò una scuola di lingua.		

B1. Formulate le domande alle affermazioni seguenti.

.... 1. Il signor Gaetano arrivò a Toronto nel 1964.
.... 2. Quell'anno arrivarono in Canada ben sessantamila italian
.... 3. La famiglia lo raggiunse qualche mese dopo.
.... 4. Un giorno disse a sua moglie di tornarsene in Italia.
.... 5. La moglie lavorò in una fabbrica di plastica.
.... 6. Il signor Luigi emigrò negli Stati Uniti nel 1954
.... 7. Il suo viaggio fu lunghissimo.
.... 8. Sposò una donna più giovane di lui.

C1. Immaginate di essere il signor Luigi e rispondete all'intervista.

Dove emigrò, signor Luigi?

Perché emigrò?

Come fu il viaggio?

Chi l'aspettava alla stazione?

Che lavoro fece?

Quali problemi incontrò?

Sua moglie aveva la sua stessa età?

D1. Formate frasi, come nell'esempio.

Esempio:

Lavoravo sempre.
Non facevo che lavorare.

1. Studiavo sempre.
2. Giocavo sempre.
3. Uscivo sempre.
4. Camminavo sempre.
5. Scrivevo sempre.
6. Piangevo sempre.

D2. Ascoltate e formulate frasi, come nell'esempio.

Esempio:

Dici che andrai all'estero.
Dicevi che saresti andato all'estero.

1. Dici che partirai per l'estero.
2. Dicono che viaggeranno all'estero.
3. Dice che lavorerà all'estero.
4. Dico che abiterò all'estero.
5. Dite che farete una vacanza all'estero.
6. Diciamo che torneremo dall'estero.

E1. Ascoltate e ripetete le frasi seguenti.

1. Arrivai a Toronto nel 1964 a 35 anni.
2. Cambiai parecchi padroni.
3. Iniziai con uno dei lavori peggiori che si possono immaginare.
4. Lavorai in una conceria per due anni.
5. Mi sposai con una donna più giovane di me di 10 anni.

TANTO DI CAPPELLO

E2. Scegliete fra i seguenti il significato dell'espressione "Fare tanto di cappello"

a. fare un cappello grande
b. avere rispetto o ammirazione per qualcuno o qualcosa.
c. avere un grande cappello

Mettete in ordine le parti della biografia seguente.

A

Così la storia della Borsalino da un'avventura artigianale si trasformò in una storia di industriali che già nei primi del 1900 esportavano fino al sessanta per cento della produzione. Un'altra caratteristica di Giuseppe era la passione per i viaggi, che gli permetteva di essere aggiornato sulle novità della tecnologia. Borsalino, grande amante della montagna, partì per la Nuova Zelanda per scalare i quasi quattromila metri del monte Cook, con una celebre guida del posto. Non poté portare a termine la scalata, ma conquistò un mercato importante. Quando tornò a casa, portò con sé il prezioso pelo dei conigli australiani, che gli avrebbe permesso di produrre i cappelli più belli del mondo.

B

Una vita fortunata e ricca di successi non fece mai dimenticare a Borsalino le sue umili origini. Per questo fu uno dei primi industriali a creare condizioni favorevoli per i suoi operai. Il marchio ha già festeggiato centocinquant'anni di storia. E in segno di rispetto e riconoscenza, tutti noi facciamo tanto di cappello.

C

Nel 1871 l'azienda vantava una produzione giornaliera di trecento cappelli. In questo periodo, grazie all'esperienza lavorativa fatta in Inghilterra da giovane, Borsalino diede la svolta industriale, ordinando le macchine che nei sobborghi di Manchester avevano rivoluzionato il mestiere dei cappellai. La sua passione per la tecnologia era così grande che, quando giunsero le prime macchine da cucire, andò personalmente alla dogana torinese per controllare che fossero in perfette condizioni.

D

Giuseppe Borsalino nacque a Precetto nel 1834. Era vivace e non gli piaceva andare a scuola, tanto che preferì il lavoro come apprendista presso un cappellificio. A 23 anni, insieme al fratello Lazzaro cominciò quest'avventura, cioè la storia di un marchio e di un cappello famosi oggi in tutto il mondo.

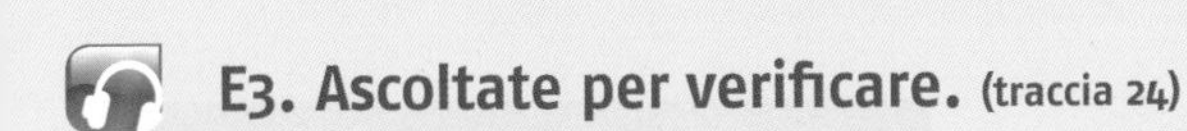

E3. Ascoltate per verificare. (traccia 24)

E4. Riascoltate e leggete a voce alta.

F1. Ascoltate e indovinate la parola.

1. Significa abituarsi, adeguarsi.
2. Lasciarsi cadere per stanchezza o altro.
3. Un brutto sogno.
4. Luogo dove si lavora la pelle.
5. È sinonimo di qualsiasi posto, luogo.
6. Chi impara un lavoro in una fabbrica, ufficio.
7. Chi accompagna i turisti nei viaggi, nelle visite.
8. Indica da quale impresa viene un prodotto.

G1. Ascoltate cosa dicono il signor Gaetano e il signor Luigi a proposito dell'immigrazione oggi in Italia.

Signor Gaetano: Noi sappiamo bene che diventare emigranti può succedere a qualsiasi persona e non è certo una colpa cercare di sopravvivere. Vorrei che gli italiani si comportassero con gli immigrati come si sono comportati i canadesi con noi tanti anni fa.

Signor Luigi: Quando arrivai a San Francisco la città mi parve un Paradiso. Come può apparire l'Italia agli immigrati di oggi? Non credo che sia giusto avere diffidenza verso gli immigrati. Credo che andrebbero accolti come l'America accolse noi. Occorre aiutarli ad integrarsi... sì, occorre metterli in condizione di vivere dignitosamente. Non ricordo neppure pregiudizi contro di noi...

H1. Confrontatevi sui problemi che incontrano gli emigrati in generale e sulla situazione nel vostro Paese.

UNITÀ 12

UN CAPODANNO CHE NON DIMENTICHERÒ MAI

Attività di pre-ascolto

Scambiatevi informazioni su come avete passato il Capodanno negli ultimi anni. Ce n'è uno che non dimenticherete? Raccontate.

A. Ascoltate il testo seguente. (traccia 25)

TESTO N. 1

Quella notte di Capodanno non la dimenticherò mai.
Sono passati quasi vent'anni e quella notte... me la ricordo come se fosse ieri.
Avevo finito il mio spettacolo a teatro, mi preparavo a festeggiare l'anno nuovo con mia moglie.
Il cameriere aveva detto a mia moglie che a mezzanotte sulla terrazza ci sarebbe stata una bellissima festa e avremmo potuto vedere tutta Roma illuminata dai fuochi d'artificio. Ne avrei fatto volentieri a meno, perché i fuochi d'artificio non mi piacciono; ma per accontentare mia moglie prendemmo l'ascensore con altre otto persone per andare sulla terrazza. Schiacciammo il pulsante dell'ultimo piano e l'ascensore partì, ma si bloccò dopo pochi secondi. Un signore distinto e ben vestito cominciò a sentirsi male. Suonavamo in continuazione l'allarme ma nessuno poteva sentirci perché erano già iniziati i festeggiamenti per l'anno nuovo. A mezzanotte, poi, la cabina dell'ascensore cominciò a tremare per l'intensità dei botti. Si accorsero di noi solo a mezzanotte e mezzo e ci liberarono. Non appena le porte si aprirono, il signore che soffriva di claustrofobia si gettò a terra quasi svenuto.
Io non volli più andare in terrazza a salutare l'anno nuovo; presi per mano mia moglie e tornammo in camera. Ma, questa volta, passando per le scale.

A1. Indicate con un segno (x) l'affermazione giusta.

1. L'attore ricorda il Capodanno
   - a) di quando aveva vent'anni
   - b) di meno di vent'anni fa
   - c) di più di vent'anni fa
2. L'attore andò sulla terrazza
   - a) perché gli piacciono i fuochi d'artificio
   - b) per vedere il panorama
   - c) perché gliel'aveva chiesto sua moglie
3. L'ascensore si bloccò
   - a) subito
   - b) al piano successivo
   - c) alla partenza
4. Non uscirono subito
   - a) perché l'allarme non funzionava
   - b) perché c'era il rumore dei botti
   - c) perché erano tutti sulla terrazza
5. Quando furono liberati,
   - a) l'attore andò sulla terrazza con gli altri
   - b) tornò in camera da solo
   - c) tornò in camera con la moglie

A2. TESTO N. 2 (traccia 25)

Ero all' estero per intervistare un attore e pensavo continuamente a mio marito, che, invece, era a Milano dove gestisce il ristorante di famiglia. Non mi piaceva l'idea di passare il Capodanno lontana da lui. Allora, finita l'intervista, corsi all'aeroporto, presi l'aereo e lo raggiunsi. Appena arrivata , andai a casa a farmi bella, misi un abito lungo e nero e le scarpe con il tacco a spillo e poi andai nel nostro locale. Quando entrai, mi bastò guardare in faccia mio marito per capire che qualcosa non andava. Mi spiegò che la signora che doveva aiutarci a lavare i piatti si era appena licenziata e non sapeva come fare... Non avevo scelta: indossai un grembiule per proteggere il mio vestito all'ultima moda e i guanti di gomma. Per tutta la cena non feci altro che sciacquare i piatti sporchi e metterli in lavastoviglie. Ne avrò lavati più di quattrocento... Mio marito faceva avanti indietro tra la cucina e la sala per controllare che tutto fosse a posto. Ogni tanto veniva da me, mi dava un bacio e mi ringraziava. Poco prima della mezzanotte, arrivò in cucina con una bottiglia di champagne e due bicchieri. Mi tolsi grembiule e guanti e brindammo al nuovo anno. Poi guardandoci intorno, scoppiammo a ridere e ci abbracciammo.

A3. Ascoltate e dite se le affermazioni seguenti sono vere o false. (traccia 26)

	V	F
1. La giornalista era all'estero per fare un'intervista.		
2. Prese l'aereo dopo l'intervista.		
3. Passò da casa solo per lasciare i bagagli.		
4. Quando entrò nel ristorante, capì subito che era successo qualcosa.		
5. Si cambiò prima di cominciare a lavare i piatti.		
6. Il marito l'aiutò a lavare i piatti.		
7. Brindarono insieme agli altri al nuovo anno.		

A4. Riascoltate i testi e prendete appunti.

A5. Sulla base degli appunti presi, scrivete domande, che rivolgerete poi agli altri studenti.

A6. Ascoltate e dite quello che ricordate.

1. L'attore ricorda bene quel Capodanno. Che cosa dice?
2. All'attore non piacciono i fuochi d'artificio. Che cosa dice ?
3. La giornalista è passata da casa per vestirsi bene per il Capodanno. Che cosa dice?
4. La giornalista capì dalla faccia del marito che era successo qualcosa. Che cosa dice?
5. La giornalista fa notare che il marito andava continuamente in cucina. Che cosa dice?

B1. Ascoltate e trasformate, come nell'esempio.

Esempio:

Schiacciai il pulsante.
Schiacciammo il pulsante.

1. Tornai in camera.
2. Passai per le scale.
3. Andai nel nostro locale.
4. Uscii dall'ascensore.
5. Partii per l' estero.
6. Ricevei la lettera.

B2. Ascoltate e formate frasi, come nell'esempio.

Esempio:

Lui torna casa presto.
Anche quel giorno tornò a casa presto.

1. Lui mangia in fretta.
2. Lui lavora fino a tardi.
3. Lui si sveglia presto.
4. Lei si addormenta tardi
5. Lei si lava in fretta.
6. Lei si diverte fino a tardi.

C1. Ascoltate e dite la parola corrispondente all'aggettivo.

1. attuale
2. tranquillo/a
3. normale
4. reale
5. libero/a
6. facile
7. dignitoso/a
8. possibile

D1. Ascoltate attentamente, immaginate e scrivete un possibile seguito. (traccia 27)

Quel Capodanno resterà scolpito nella mia memoria. Ero insieme ad altre tre amiche. Avevamo un invito per una festa in una bellissima casa del centro di Roma, che apparteneva a un giovane dentista che avevamo iniziato a frequentare da qualche tempo perché una delle tre amiche aveva una cotta per lui. Ci eravamo vestite eleganti e non vedevamo l'ora di arrivare alla festa. Io indossavo un vestito nero scollato e scarpe con tacco molto alto. Arrivammo puntali alle 10, scendemmo dall'auto con le bottiglie di champagne e raggiungemmo a passo svelto il portone.
Citofonammo, ma nessuno aprì. Suonammo di nuovo. Niente... E da quell'appartamento non giungevano segnali di vita. I minuti passavano... Il freddo si faceva sentire...

UNITÀ 13
UN VERO AMICO

Attività di pre-ascolto

Secondo voi, quando una persona può dirsi un /una vero/a amico/a?

A. Ascoltate il testo seguente. (traccia 28)

Roberto: Pronto, parlo ... con Sofia Loren?

Paola: Ciao, Roberto, guarda, oggi non è proprio il giorno adatto per fare lo spiritoso; ho una gamba ingessata, sono stata appena licenziata e il mio ragazzo mi ha mollato, lasciandomi tanti debiti da pagare... Comunque, dimmi. Hai bisogno di qualcosa?

Roberto: Ho saputo dalla ditta che sei senza lavoro.

Paola: Ehi, come corrono le notizie. Se mi avessi chiamato dieci minuti fa, mi avresti dato direttamente tu la notizia.

Roberto: Su, non arrabbiarti, beh, avrei potuto aspettare a chiamarti, ma sai... io sono un tipo pratico, diretto, non amo girare intorno alle cose. E allora ti ho chiamato subito.

Paola: Cosa volevi dirmi...

Roberto: Sai, sto pensando da tanto tempo a un progetto e, per realizzarlo, ho bisogno di persone con esperienza, che ce la mettano tutta per far diventare quest'azienda la migliore nel settore. Ho già alcune persone che stimo molto. Diciamo che manchi solo tu. Intendiamoci eh, non ti offro un posto da dirigente. Prima dovrai farti le ossa, ricominciare da zero o quasi. Ma è un'opportunità alla quale farai bene a pensare.

Paola: Guarda, non ho bisogno di pensarci. Dico subito di sì... ovviamente dovremo parlare della mia retribuzione.

Roberto: A questo proposito, sai bene che qui non pagano molto, ma sono soldi sicuri, anzi, sicurissimi, e con i tempi che corrono non è poco.

Paola: Sì, certo, lo so e poi... dopo il licenziamento sono davvero nei guai.

Roberto: Senti, facciamo così: non questo sabato ma il prossimo faremo una cena di lavoro, così potrai conoscere i tuoi futuri colleghi. Sì, insomma, ti presenterò agli altri, ti parlerò dei progetti futuri e anche dello stipendio.

Paola: Va bene. La prossima settimana andrò in ospedale a togliere il gesso, quindi non ci sono problemi. Speriamo che non mi succeda altro. Fammi sapere esattamente quando e dove. E... a proposito, grazie. Sei un vero amico!

A1. Indicate con un segno (x) l'affermazione giusta.

1. Paola dice a Roberto
   - a) di andare a cena a casa sua
   - b) di non fare dell'umorismo
   - c) di darle un lavoro

2. Roberto telefona a Paola
   - a) perché è stata licenziata
   - b) per sapere come sta
   - c) per accompagnarla in ospedale

3. Roberto vuole offrire a Paola
   - a) un lavoro da dirigente
   - b) un lavoro
   - c) un colloquio di lavoro

4. Roberto vuole aiutarla
   - a) perché è una cara amica
   - b) perché pensa che sia brava
   - c) perché non ha trovato altre persone

5. Paola
   - a) accetta subito la proposta di Roberto
   - b) ha bisogno di pensarci
   - c) rifiuta per lo stipendio basso

6. Paola toglierà il gesso
   - a) tra una quindici giorni
   - b) la settimana prossima
   - c) tra un mese

A2. Riascoltate e prendete appunti.

....

....

....

....

A3. Sulla base degli appunti presi, scrivete delle domande che farete poi agli altri studenti.

B1. Quali aggettivi tra i seguenti attribuireste a Roberto e perché.

- realista
- generoso
- sincero
- superficiale
- premuroso
- idealista
- pigro

C1. Abbinate le parole ai loro rispettivi significati, come nell'esempio.

1. Fare lo spiritoso
2. Mettercela tutta
3. Essere nei guai
4. Farsi le ossa

a) acquistare una solida esperienza
b) essere in una situazione difficile
c) impegnarsi al massimo
d) esprimersi in modo umoristico

D1. Ascoltate e formate frasi come nell'esempio.

Esempio:

Se mi chiamavi dieci minuti fa, mi davi direttamente la notizia
Se mi avessi chiamato dieci minuti fa, mi avresti dato direttamente la notizia

1. Se ascoltavi attentamente, capivi tutto.
2. Se prendevi la macchina, arrivavi in tempo.
3. Se accettavo il lavoro, non ero nei guai.
4. Se non andava a sciare, non cadeva.
5. Se arrivavate prima, prendevate il pullman.
6. Se rallentavamo, non prendevamo la multa.

E1. Ascoltate e ripetete le frasi seguenti.

1. Il mio ragazzo mi ha mollato, lasciandomi tanti debiti da pagare.
2. Non arrabbiarti, certo... avrei potuto aspettare a chiamarti.
3. Ho bisogno di persone con esperienza.
4. Guarda, non ho bisogno di pensarci.
5. Dovremo parlare della mia retribuzione...
6. È un'opportunità alla quale farai bene a pensare.

E2. Ascoltate e trasformate, come nell'esempio.

Esempio:

I nostri amici non sono venuti alla festa.
Peccato! Si sarebbero divertiti.

1. Paola non è venuta a teatro.
2. Roberto non ha visto quel film comico.
3. Paola e Giulia non hanno ascoltato le barzellette.
4. I nostri amici non hanno accettato il nostro invito.

E3. Formate tutte le parole possibili, come nell'esempio.

porta
appendi
cava

abiti
ombrelli
borse
bottiglie
biglietti
penne
bagagli
tappi

E4. Cosa dite in queste situazioni comunicative? (sono parole in cui ci sono le lettere p e b)

1. Alle persone che sono a tavola prima di cominciare a mangiare.
2. Che cosa rispondi ad un'amica/un amico che ti dice *Bentornata/o?*
3. Che cosa rispondi a chi ti dice in *Bocca al Lupo?*
4. Che cosa dici per esprimere invidia ad un'amica che ha vinto alla Lotteria?
5. Che cosa dici se vedi un animale abbandonato, affamato ...?
6. Che cosa dici a una signora impaziente che non vuole aspettare?

UNITÀ 14
CHIUDIAMO INTERNET PER CINQUE ANNI

Attività di pre-ascolto

1. Dite quali parole associate a "Internet"
2. Quali sono, secondo voi, i vantaggi e gli svantaggi di Internet?

A. Ascoltate il testo seguente. (traccia 29)

Oggi sono ospiti della nostra trasmissione Gianni, un esperto di informatica, Dario che è ancora disoccupato, una imprenditrice, la signora Daniela e il signor Piero, ormai in pensione.
L' argomento che affronteremo riguarda i nuovi mezzi di comunicazione.
Sappiamo da recenti indagini, che la popolarità del web cresce non solo tra i giovani, ma anche tra le persone oltre i 55 anni e che In Italia i giovani tra i 16 e i 24 anni preferiscono sempre di più guardare la tv su Internet, così come leggere le riviste e i giornali e ascoltare la radio on line.
L'utilizzo dei motori di ricerca e della posta elettronica sono le attività più diffuse in tutto il mondo.
Un famoso cantante inglese, invece, ha lanciato un'iniziativa provocatoria:
"Chiudiamo Internet per cinque anni".
Sentiamo cosa ne pensano i nostri ospiti
Gianni è un informatico. Ci dica.
Mi sembra che sia una proposta impossibile. Internet è una rete di cui non possiamo più fare a meno. È un bene comune. Ognuno può mettere e prendere quello che vuole, invece, per esempio, in televisione, solo poche persone decidono quello che si comunica. Se non ci fosse, non potremmo avere tanti vantaggi, soprattutto nel mondo del lavoro.
Dario, tu, purtroppo ... un lavoro non l'hai ancora trovato? Vero?
No, non ho ancora un lavoro, ma sono fiducioso e Internet mi aiuta in questa ricerca.
Penso che la proposta di questo cantante sia assurda. Oggi, per mezzo di Internet è possibile compiere comodamente da casa numerose attività di ricerca, di mercato, di studio, di comunicazione. Per noi giovani, poi, è fondamentale per la ricerca di un lavoro. È sufficiente spedire il proprio curriculum ai siti di imprese, agenzie e aspettare la risposta. Quindi è un grande vantaggio non solo per chi cerca, ma anche per chi offre lavoro.
La signora Daniela invece, a differenza di Dario, un lavoro ce l'ha... è proprietaria di un'affermata azienda di vini. Signora Daniela, qual è la sua esperienza rispetto all'argomento del nostro dibattito?
Credo che anche il commercio oggi non possa fare a meno di Internet. Quasi tutte le aziende hanno un sito dove pubblicizzano i loro prodotti, ricevono ordinazioni o, semplicemente, danno informazioni. In questo modo, possiamo velocizzare i tempi di acquisto, di vendita, di consegna e di pagamento.
Bene.., prima della pausa pubblicitaria sentiamo anche il signor Piero che è ormai in pensione.
Da quanto?

Da quest'anno.
Senta lei è d'accordo con quanto hanno detto gli altri ospiti?
A dire la verità, non molto. Non vedo solo gli aspetti positivi di Internet, ma anche quelli negativi... È così difficile controllare questo gigantesco sistema. Per questo, ha molti rischi, per esempio, se alcuni riescono ad entrare nei sistemi bancari, possono sottrarre dati e soldi a chiunque.
Io, al contrario di molti giovani che passano tanto tempo davanti al computer anche per leggere giornali, riviste, preferisco sfogliare i giornali e godere della lettura di un libro o vedere un buon film in televisione.

Qualche minuto di pubblicità... A fra pochissimo...

A1. Ascoltate e dite se le affermazioni seguenti sono vere o false. (traccia 30)

	V	F
1. Internet è popolare solo tra i giovani.		
2. Gianni è un informatico.		
3. Secondo Gianni, Internet ha solo vantaggi.		
4. Per Dario, con Internet è più facile trovare lavoro.		
5. La signora Daniela è un'operaia in un'azienda di vini.		
6. Per la signora Daniela, Internet è importante per il commercio.		
7. Il signor Piero è in pensione da molti anni.		
8. Piero usa il computer per leggere giornali e riviste.		

A2. Inserite nella tabella le lettere corrispondenti alle frasi che hanno detto, come nell'esempio.

informatico	disoccupato	imprenditrice	pensionato
		a	

a. Internet è importante per vendere prodotti.
b. Aiuta nella ricerca del lavoro.
c. È un sistema libero dove tutti possono mettere quello che vogliono.
d. È utile per fare pubblicità ai prodotti.
e. Può far prelevare soldi di altre persone.
f. Permette alle aziende di dare lavoro.
g. Ci permette di comprare quello che vogliamo.
h. Ci permette di fare ricerche.

B1. Scrivete i sostantivi corrispondenti ai seguenti verbi.

1. ordinare ....
2. pagare ....
3. provocare ....
4. comunicare ....
5. vendere ....
6. acquistare ....
7. consegnare ....

C1. Trasformate le frasi seguenti, come nell'esempio.

Esempio:

> *Se non c'è Internet, non possiamo comunicare velocemente.*
> *Se non ci fosse Internet, non potremmo comunicare velocemente.*

1. Se non navighiamo in Internet, non possiamo comunicare velocemente.
2. Se non spediamo e-mail, non possiamo comunicare velocemente.
3. Se non abbiamo il computer, non possiamo comunicare velocemente.
4. Se non usiamo la tecnologia, non possiamo comunicare velocemente.
5. Se non ci connettiamo a Internet, non possiamo comunicare velocemente.

D1. Ascoltate e ripetete le frasi seguenti.

1. Dario è ancora disoccupato.
2. La signora Daniela è imprenditrice.
3. Internet è una rete di cui non possiamo fare a meno.
4. Possiamo velocizzare i tempi di acquisto e di vendita.
5. Possono sottrarre dati e soldi.

D2. Scrivete gli ordinali dei seguenti numeri, come nell'esempio.

10 *decimo*
11 ....
12 ....
13 ....
14 ....
15 ....
16 ....

D3. Utilizzate liberamente le parole che avete scritto per rispondere alle domande seguenti.

Studente A	*Studente B*
- In che fila siamo?	....
- A che piano è il tuo appartamento?	....
- A che posto si è classificato Daniele?	....

D4. Completate le parole seguenti con d o dd.

1. Lo sciatore mi è venuto a..........osso.
2. Ho comprato una pa..........ella e una ra..........io.
3. I bambini mangiano troppe meren..........ine.
4. L'inverno è stato molto fre..........o
5. Vogliamo a..........obbare la casa per la festa.
6. Di solito non ci a..........ormentiamo prima delle un..........ici.
7. Questo giocattolo non è a..........atto ai bambini di un anno.

UNITÀ 15
CHE SFIGA!

Attività di pre-ascolto

Abbinate le parole alle immagini

allenatore, rigore, tifosi, portiere

....

A. Ascoltate il testo seguente. (traccia 31)

Francesco: Pronto.
Ferdinando: Pronto.
Francesco: Che voce che hai! Che hai fatto? Stai male?
Ferdinando: E me lo chiedi pure? Non hai visto la partita Italia Spagna? Lo sai, sì, che siamo stati eliminati dal campionato europeo.
Francesco: Certo che lo so. Non si parla d'altro in Italia.
Ferdinando: E la cosa non ti dispiace?
Francesco: Certo che mi dispiace. Mi sarebbe piaciuto tanto che l'Italia avesse vinto. Ma che ci vuoi fare! Pazienza! Non facciamone un dramma!
Ferdinando: Non puoi dire questo! Non ti rendi conto? Abbiamo perso ai rigori. Questo significa che abbiamo giocato bene per tutti i 90 minuti e anche nei tempi supplementari. Se il portiere spagnolo non avesse parato un nostro rigore, saremmo ancora in gara...
Francesco: È andata male ma bisogna accettare il risultato con spirito sportivo.
Ferdinando: Macché spirito sportivo! Io penso che abbiamo avuto solo sfiga. Gli spagnoli, poi, non hanno giocato per niente bene.
Francesco: Vuoi scherzare?! Hanno giocato bene tutti... soprattutto gli attaccanti. Per fortuna il nostro portiere ha evitato che segnassero.

Ferdinando: Cosa?! Sembra quasi che tifi per la Spagna.
Francesco: Macché! Sono solo obiettivo. I tifosi come te non lo sono affatto. Vuoi un esempio? Perché mai molti chiedono al nostro allenatore di dimettersi per aver perso questa partita. Hanno forse dimenticato che abbiamo perso soltanto per un rigore parato?
Ferdinando: Ah, su questo... siamo completamente d'accordo.

A1. Ascoltate e dite se le affermazioni seguenti sono vere o false. (traccia 32)

	V	F
1. Ferdinando è triste perché l'Italia ha perso con la Spagna.		
2. L'Italia è stata eliminata dai Mondiali.		
3. La Spagna ha segnato un goal durante i tempi supplementari.		
4. Il portiere spagnolo ha parato un rigore degli italiani.		
5. Secondo Francesco, gli attaccanti spagnoli sono stati bravi.		
6. Secondo Francesco, il nostro portiere non è stato bravo.		
7. Ferdinando pensa che l'allenatore italiano debba dimettersi.		

B1. Ascoltate e ripetete le frasi seguenti.

1.Ma che ci vuoi fare! Pazienza! Non facciamone un dramma.
2. Come fai a dire questo?!
3. Tifi forse per la Spagna?
4. In fondo la squadra avversaria non ha giocato affatto bene.

B2. Ascoltate le parole guardando le illustrazioni.

finestra

farfalla

fede

fulmine

folla

B3. Riascoltate e ripetete a voce alta.

B4. Ascoltate e ripetete le frasi seguenti.

1. Il gatto è saltato dalla finestra.
2. La farfalla è sul fiore.
3. La fede che hai scelto è davvero bella.
4. C'è tanta folla in piazza.
5. Il fulmine si è abbattuto sull'albero.

B5. Completate con il sostantivo o aggettivo, come nell'esempio.

1. felicità *felice*
2. facile ……………………
3. fiducia ……………………
4. affidabile ……………………
5. fedeltà ……………………
6. fortunato/a ……………………
7. difficoltà ……………………

B6. Leggete la tabella che avete completato.

B7. Completate le parole con "f" o "ff"

1. L'a……etto dei nipoti ha aiutato molto il nonno.
2. Siamo stu……i di mangiare la carne.
3. So……ro di mal di testa.
4. Tra Marco e Giulia ci sono molte a……inità.
5. Accetto la tua o……erta.
6. La tua stu……a è elettrica?
7. L'a……itto della tua camera è alto?
8. Ho fatto un'abbu……ata di dolci.
9. Qui il mare è più pro……ondo.

B8. Leggete le frasi completate.

UNITÀ 16
UNA FINESTRA SUL MONDO DEL LAVORO

Attività di pre-ascolto

I - La parola "corso" quali altre parole vi suggerisce?
II - Fate delle ipotesi su quello che indichiamo con l'espressione "fiore all'occhiello"

A. Un mondo da gustare: ecco il corso per pasticceri. (traccia 33)

L'arte della pasticceria è il fiore all'occhiello della cucina italiana. Le nuove abitudini alimentari hanno rivoluzionato il settore, che si è adeguato alle nuove esigenze, sperimentando ricette innovative. Ecco perché la Confcommercio ha organizzato un corso per chi desidera imparare il mestiere di pasticcere e per chi già svolge questa attività e intende migliorare e aggiornarsi.
Il corso avrà una durata complessiva di 80 ore e le lezioni si svolgeranno il martedì e il giovedì dalle ore 15 alle ore 19.00.
La teoria riguarderà la normativa sulla qualità degli alimenti, la legislazione igienico-sanitaria, le macchine professionali.
La parte pratica, condotta da esperti del settore, prevede la preparazione di prodotti base della pasticceria.
Il costo del corso è di 1000 euro. I posti sono limitati. Alla fine del corso verrà rilasciato l'attestato di partecipazione.

Agenzie di viaggio, master per direttore tecnico

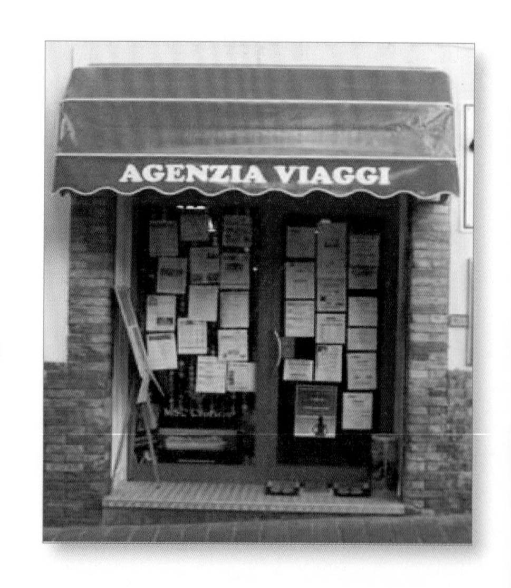

L'industria turistica italiana torna ai primi posti nel mondo. La conseguenza di tutto questo è un aumento del numero di addetti del settore.
Per quanti amano il mondo dei viaggi e vogliono operare nelle agenzie di viaggio, nei Tour Operator è stato programmato a Milano un corso per Addetti e Direttori Tecnici di Agenzie di Viaggio", che si terrà in cinque giorni da lunedì 22 a venerdì 26 ottobre dalle 9 alle 14.30. Saranno professionisti del settore a svolgere le lezioni. Alla fine del corso, si potrà effettuare uno stage da uno a sei mesi per sostenere l'esame di Direttore Tecnico di Agenzie di Viaggio. I contenuti del corso riguardano aspetti organizzativi e gestionali di un'agenzia di viaggio. Sono previste esercitazioni pratiche.

A1. Ascoltate e dite se le affermazioni seguenti sono vere o false. (traccia 34)

	V	F
1. La Confcommercio ha organizzato un corso solo per pasticceri professionisti.		
2. Il corso per pasticceri è di 80 lezioni.		
3. Non possono entrare molti perché c'è un numero chiuso.		
4. Il corso prevede una parte teorica e una parte pratica.		
5. Il corso per direttore di agenzie di viaggio durerà cinque giorni.		
6. Lo stage alla fine del corso per direttore di agenzia di viaggio è di nove mesi.		
7. Alla fine del corso non c'è un esame.		
8. Durante il corso si insegna come organizzare e come gestire un'agenzia di viaggio.		

A2. Indicate a quale corso si riferisce ogni affermazione, come nell'esempio.

	pasticcere	direttore tecnico	tutti e due
1. Il corso costa mille euro.	X		
2. Il corso si svolge a Milano.			
3. Prevede 80 ore di lezione.			
4. Il corso prevede esercitazioni pratiche			
5. Il corso è per chi ama il mondo dei viaggi			
6. Le iscrizioni sono limitate.			
7. Terranno il corso professionisti del settore.			
8. Alla fine del corso sarà rilasciato un attestato di partecipazione.			
9. Alla fine del corso sarà possibile fare uno stage.			

A3. Riascoltate e prendete appunti.

....

....

....

....

....

....

A4. Sulla base degli appunti presi, scrivete delle domande, che farete poi agli altri studenti.

B1. Ascoltate e formate frasi, come nell'esempio.

Esempio:

> *L'arbitro ha ammonito il calciatore.*
> *Il calciatore è stato ammonito,*

1. Hanno sospeso la partita.
2. Avevano avvisato i tifosi.
3. Rimanderanno la partita.
4. Scambiarono le magliette.
5. Ha accettato l'invito.
6. Vincerà la partita.
7. Lanciava il pallone.

B2. Formate delle frasi, come negli esempi.

Esempio:

> *È organizzato un corso di barista.*
> *St.: Si organizza un corso di barista.*
> *Le lezioni sono tenute il giovedì*
> *St: Le lezioni si tengono il giovedì.*

1. Sono apprese le tecniche di preparazione di cocktail.
2. Sono previste esercitazioni pratiche.
3. Sono tenute lezioni sull'igiene del bar.
4. La lezione è svolta il martedì.
5. L' iscrizione sarà chiusa presto.
6. Il corso è programmato per marzo.
7. È effettuato uno stage in agenzia.
8. Alla fine del corso è sostenuto un esame.

C1. Completate il testo seguente e ascoltate per verificare.

Siete un disastro in cucina? La soluzione ai vostri .... (1) potrebbe essere un corso .... (2) di cucina. L'iniziativa .... (3) da lunedì 15 marzo ed è .... (4) a tutti coloro che desiderano .... (5) le tecniche del mestiere, adulti, giovani, ... (6) inesperti. Sono previsti .... (7): due dedicati agli antipasti, due ai .... (8), due ai secondi e uno ai dolci.
Il risultato è assicurato: diventerete bravissimi ai .... (9).

C2. Ascoltate e ripetete le frasi seguenti.

1. L'arte della pasticceria è il fiore all'occhiello della cucina italiana.
2. Le nuove abitudini alimentari hanno rivoluzionato il settore.
3. Le lezioni si svolgeranno il martedì
4. La teoria riguarderà la normativa sulla qualità degli alimenti.
5. I posti sono limitati.

C3. Completate le parole con "l" o "ll".

1. A..........ora che cosa hai deciso di fare?
2. È partito da..........a Sicilia per andare in Portoga..........o.
3. Prendere lezioni di ba..........o è un'idea bri..........ante.
4. Ho un brutto torcico..........o.
5. Che pa..........ore! Non starai mica ma..........e?
6. Non raccontare sempre ba..........e.! Non sei per niente ....eale.
7. Che cappe..........o a..........' ultima moda che hai!
8. Non dimenticare i forne..........i accesi.

C4. Formate l'aggettivo corrispondente, come nell'esempio.

1. commercio *commerciale*
2. industria ....
3. dogana ....
4. natura ....
5. ambiente ....
6. sera ....
7. inverno ....
8. settimana ....

UNITÀ 17
UNA REGIONE IN CIFRE

A. Ascoltate e scrivete accanto alla foto il numero dell' annuncio. (traccia 35)

A1. Spiegate gli abbinamenti delle foto agli annunci.

A2. Abbinate le immagini alle parole seguenti, come nell'esempio.

1. Industria meccanica
2. Industria elettronica
3. Industria tessile
4. Industria chimica
5. Industria petrolchimica
6. Industria farmaceutica
7. Industria alimentare

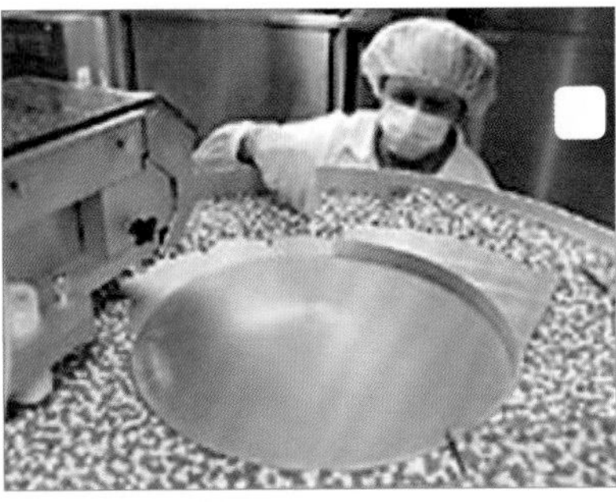

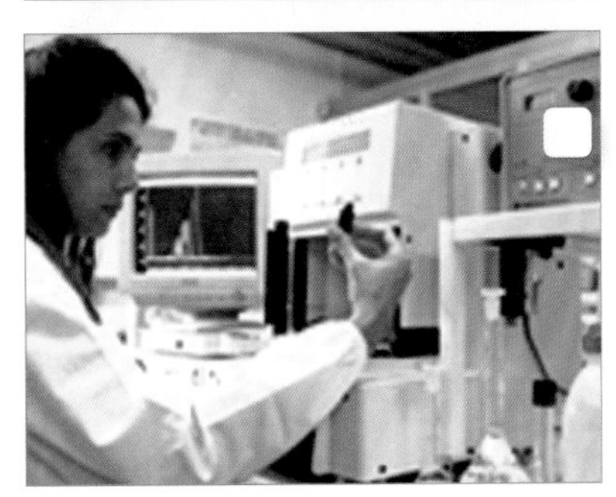

A3. Ascoltate il testo seguente. (traccia 36)

La Lombardia ha più di 9 milioni di abitanti ed è la regione più produttiva d'Italia.
L'economia della Lombardia è caratterizzata da una grande varietà di settori in cui è sviluppata: agricoltura e allevamento, industria, turismo.
L'agricoltura vanta una buona produzione grazie al processo di meccanizzazione.
L'industria è caratterizzata da imprese di piccole e medie dimensioni per lo più a conduzione familiare, ma anche da grandi aziende, soprattutto straniere. È fiorente in molti settori particolarmente in quello meccanico, elettronico, metallurgico, tessile, chimico, petrolchimico, farmaceutico, alimentare, editoriale, calzaturiero e del mobile.
Per quanto riguarda il turismo è tra le prime quattro d'Italia, dopo il Veneto, la Toscana e il Lazio per le sue bellezze naturali come laghi e montagne e per le città d'arte.
Rilevante è il peso del commercio e della finanza. Milano è anche sede della Borsa italiana.
Una straordinaria opportunità per lo sviluppo della città è rappresentata dall'assegnazione a Milano dell'Esposizione Universale del 2015. Il tema dell'Expo è "*Nutrire il pianeta, energia per la vita*", che è anche lo slogan che accompagna i 7.000 eventi che Milano si è impegnata a realizzare nell'arco dei 6 mesi di esposizione. I temi proposti sono legati all'esistenza dell'uomo, alla salute, al benessere ma anche e soprattutto all'ambiente.

A4. Ascoltate e dite se le affermazioni seguenti sono vere o false. (traccia 37)

	V	F
1. La regione Lombardia è al primo posto in Italia per produttività.		
2. L'industria è costituita esclusivamente da piccole e medie imprese.		
3. L'agricoltura è favorita dalle macchine.		
4. Il turismo riguarda solo le città d'arte.		
5. Milano è sede della Borsa italiana.		
6. L'Expo 2015 permette a Milano di svilupparsi di più.		
7. L'esposizione dura 7 mesi.		
8. Il tema centrale dell'Expo 2015 è quello dell'ambiente.		

A5. Riascoltate e prendete appunti.

....

....

....

....

A6. Completate le frasi seguenti.

1. In Lombardia ci sono più di ....
2. Le industrie sono ....
3. I temi dell'Expo 2015 sono ....

A7. Sulla base degli appunti presi, scrivete domande che farete agli altri studenti.

B1. Scrivete le parole corrispondenti alle seguenti definizioni.

1. Capacità di produrre ....
2. La guida di un'azienda ....
3. Ambito lavorativo ....
4. Di un'attività in pieno sviluppo ....
5. Notevole per quantità e importanza ....
6. Mostra di prodotti e merci in luoghi visitabili dal pubblico ....

C1. Trasformate le frasi come nell'esempio.

Esempio:

Condurre un'azienda non è semplice.
La conduzione di un'azienda non è semplice.

1. Produrre vini di qualità è difficile → ....
2. Esporre tutti i quadri non è possibile. → ....
3. Comporre una canzone è divertente. → ....
4. Comprendere questo testo non è facile. → ....
5. Realizzare un progetto è stancante. → ....
6. Ridurre le tasse è importante. → ....

D1. Completate con le parole seguenti.

che - del - fascino - fine - gusterai - Liguria - posto - regione -
terra - tra - una - unico - tipiche - verde

IN LIGURIA, una stagione tira l'altra

Cogli la Liguria troverai una .... (1) ricca di profumi e sapori, ... (2) l'azzurro del cielo, il .... (3) dei monti, la trasparenza .... (4) mare e il clima mite .... (5) fa fiorire la mimosa a gennaio. .... (6) le tradizioni gastronomiche di una .... (7) genuina e ospitale. Scoprirai un entroterra .... (8) dalla cultura millenaria, le .... (9) botteghe artigiane e il .... (10) invernale dei borghi marini. La .... (11) ti piacerà sia per un .... (12) settimana di completo relax che per .... (13) vacanza fuori stagione. Liguria, ... (14) unico.

E1. Ascoltate i nomi delle regioni italiane e indicate la vocale su cui cade l'accento, come nell'esempio.

E2. Ascoltate e ripetete le frasi seguenti.

1. L'economia è caratterizzata da una grande varietà di settori.
2. L'industria è caratterizzata da imprese di piccole e medie dimensioni.
3. Rilevante è il peso del commercio.
4. Milano è anche sede della Borsa italiana.
5. È fiorente il settore tessile.

E3. Ascoltate e dite i nomi degli abitanti, come nell'esempio.

Esempio:

Bari → *baresi*

1. Lecce ....
2. Torino ....
3. Livorno ....
4. Verona ....
5. Genova ....
6. Messina ....

E4. Leggete le parole seguenti.

[s]	[z]	[s]	[z]
posto	turismo	gas	slogan
sconto	sviluppo	passaporto	rosa
pastificio	slegato	sabato	museo
sole	sradicare	settimana	famoso
Toscana	usato		

UNITÀ 18
ASCOLTANDO LA RADIO

A. Giornale radio (traccia 38)

Tante le dichiarazioni di stima e di rimpianto per Enzo Biagi, il giornalista che è morto questa mattina a 87 anni dopo alcuni giorni di ricovero in clinica. Da tempo era malato di cuore, è stato lucido fino alla fine e si è spento serenamente, secondo la testimonianza della figlia Bice. Il presidente della Repubblica l'ha definito una grande voce di libertà. Era nato vicino a Bologna nel 1920. Il suo primo importante incarico è stato quello di direttore della rivista Epoca. Biagi ha dato un grande contributo alla radio e alla televisione. I funerali si svolgeranno a Lizzano Belvedere in provincia di Bologna.

Il 30 novembre ci sarà una paralisi dei trasporti. Lo sciopero, deciso dai sindacati per protestare contro la legge finanziaria, sarà di otto ore e riguarderà tutti i settori della mobilità.

Era stato lasciato dalla fidanzata e aveva sofferto molto. Poi per "scuotersi" ha deciso di impugnare la pistola e di diventare rapinatore. È questa la spiegazione che ha dato alla polizia un operaio siciliano di 43 anni, che ha rapinato per sei volte la stessa stazione di servizio nel giro di tre mesi.
Il bottino è stato di 2500 euro.

A1. Ascoltate e completate le frasi seguenti. (traccia 39)

1. Enzo Biagi è morto in ....
2. Ha lavorato alla ....
3. Ci sarà uno sciopero dei ....
4. Lo sciopero durerà ....
5. Il rapinatore ha rapinato ....

A2. Mettete sotto la colonna giusta le affermazioni seguenti, come nell'esempio.

I notizia	II notizia	III notizia
a		

a. Ci sarà uno sciopero dei mezzi di trasporto.
b. Enzo Biagi era un giornalista.
c. Ha rapinato una stazione di servizio.
d. È morto all'età di 87 anni.
e. Il blocco dei mezzi di trasporto durerà otto ore.
f. Era malato da tempo.
g. Sono stati rubati 2.500 euro.
h. I lavoratori vogliono protestare contro la legge finanziaria.
i. Ha lavorato alla radio e alla televisione.
l. È diventato rapinatore dopo che la ragazza l'ha lasciato.

A3. (traccia 40)

Giornalista: Benvenuti alla nostra trasmissione Opinioni a confronto, l'attualità in diretta con i nostri ascoltatori... Oggi parleremo di felicità, che, naturalmente, è qualcosa di diverso per ognuno di noi. Proveremo a rispondere a una domanda: che relazione c'è tra i soldi e la felicità? Quanto la felicità è legata al reddito ... cioè alle nostre possibilità economiche? Molti radioascoltatori ci hanno già chiamato per partecipare alla trasmissione. Cominciamo subito con l'opinione di un autorevole scrittore, Dario Vincenzi, che ha trattato questo argomento nel suo ultimo libro. Buongiorno, professor Vincenzi. Grazie per aver accettato il nostro invito.

Vincenzi: Buongiorno! Grazie a lei.

Giornalista: Dunque... ci dica. In base alle ricerche da Lei svolte, chi sono i più felici nel mondo?

Vincenzi: Secondo un'indagine mondiale, sono i messicani... risultano più felici degli europei e degli americani.

Giornalista: Senta, secondo lei sentirsi felici è uno stato d'animo interiore o dipende da come vanno le relazioni con gli altri... dal lavoro, dal reddito...?

Vincenzi: Io penso che il denaro sia un fattore della felicità. Se noi diciamo che si può essere felici nella povertà diciamo... qualcosa di non vero.

Giornalista: Grazie... rimanga in linea. Abbiamo al telefono la signora Rosa, che chiama da Chieti. Signora Rosa, buongiorno!

Rosa: Buongiorno e complimenti per la trasmissione.

Giornalista: Grazie, signora, ci dica cos'è per lei la felicità? È d'accordo con quello che ha detto il professor Vincenzi?

Rosa: No, io la penso diversamente. Sono convinta che siamo felici quando stiamo bene con noi stessi ... sappiamo affrontare i problemi in maniera positiva. Questo stato d'animo, secondo me, si raggiunge soprattutto aiutando gli altri. Io, per esempio, faccio volontariato, questo mi fa star molto bene con me stessa... mi sento felice... perché mi sento utile.

Giornalista: La sua è una bella testimonianza. Grazie, signora. Arrivederci. Abbiamo ora in linea la signora Francesca. Signora, da dove chiama?

Francesca: Da Padova.

Giornalista: Prego! Qual è il suo parere?

Francesca: Ai miei tempi, dopo la guerra, sa ho 76 anni, avevamo difficoltà economiche ma le abbiamo superate con tanti sacrifici e siamo arrivati alla pensione. La felicità per me è la salute e sapersi accontentare. Per esempio, noi ci sentiamo bene, non abbiamo molti soldi ma... non ci manca nulla, abbiamo l'affetto dei figli... dei nipoti. Sono queste le cose importanti... che ci rendono felici. Non credo affatto che i soldi portino la felicità.

Giornalista: ... Grazie, alla signora Francesca. Mi dicono che abbiamo al telefono Sergio, un imprenditore. Prego, l'ascoltiamo.

Sergio: Secondo me, le prime regole per essere felici sono: essere attivi e produttivi, socializzare e pianificare.

Giornalista: Signor Sergio ci scusi, ma dobbiamo mandare la pubblicità. Riprendiamo questo tema fra poco...

A4. Ascoltate e completate con una parola le frasi seguenti. (traccia 41)

1. Nella trasmissione radiofonica si parla di ....
2. Nella trasmissione intervengono due signore, uno scrittore e un ....
3. Secondo lo scrittore, i più felici sono i ....
4. Rosa è vissuta negli anni difficili del ....
5. Francesca aiuta gli altri facendo ....
6. Secondo l'imprenditore, bisogna essere attivi e ....

A5. Inserite nella tabella le lettere corrispondenti alle frasi che hanno detto, come nell'esempio.

scrittore	signora Rosa	signora Francesca	imprenditore
		a	

a. La felicità è soprattutto stare bene in salute.
b. Per essere felici bisogna socializzare e pianificare.
c. Sono felice quando sto bene con me stessa.
d. La felicità è sapersi accontentare.
e. Dire che si può essere felici nella povertà è dire qualcosa di non vero.
f. Se vogliamo essere felici, dobbiamo essere attivi.
g. Si è felici aiutando gli altri.
h. Non credo che i soldi portino la felicità.

B1. Abbinate le parole alle rispettive spiegazioni o sinonimi.

1. Reddito
2. indagine
3. fattore

a. ricerca, sondaggio
b. causa, motivo
c. guadagno di una persona o ente riferito a un periodo di tempo.

C1. Ascoltate e formate frasi, come nell'esempio.

Esempio:

Penso che la felicità non dipenda dai soldi.
Pensavo che la felicità non dipendesse dai soldi.

1. Penso che tu spenda troppo. ....
2. Penso che lui lavori poco. ....
3. Penso che voi studiate abbastanza. ....
4. Penso che loro parlino velocemente. ....
5 Penso che Paola si lamenti senza ragione. ....
6. Penso che voi vi stanchiate troppo. ....

C2. Ascoltate e formate frasi, come nell'esempio.

Esempio:

> *Sono felice quando sono in vacanza.*
> *Si è felici quando si è in vacanza.*

1. Sono allegro quando sono in vacanza. ....
2. Sono sereno quando sono in compagnia. ....
3. Sono rilassato quando sono al mare. ....
4. Sono stressato quando sono al lavoro. ....
5. Sono prudente quando sono in macchina. ....
6. Sono felice quando sono in montagna. ....

D1. Ascoltate e dite per ogni aggettivo il sostantivo corrispondente, come nell'esempio.

1. felice *felicità*
2. solidale ....
3. sincero ....
4. vero ....
5. falso ....
6. onesto ....
7. facile ....
8. creativo ....
9. sereno ....
10. produttivo ....

E1. Attività di pre-ascolto

Dite se nel vostro Paese c'è molta o poca pubblicità in TV.
Che cosa pensate della pubblicità televisiva del vostro Paese?

E2. (traccia 42)

Conduttore: Buongiorno e benvenuti alla nostra trasmissione Opinioni a confronto, l'attualità in diretta con i nostri ascoltatori. Il tema di oggi è la televisione pubblica senza spot. Come probabilmente saprete risale a qualche giorno fa la decisione del presidente francese di togliere la pubblicità dalla televisione pubblica dalle 20.00 alle 6.00 e dal 2011 per tutto il giorno. Tale decisione fa discutere anche in Italia. La televisione nel nostro Paese è un elemento centrale della nostra vita; gli italiani la guardano molto con una media giornaliera di 234 minuti.
Il nostro argomento, dunque, è di grande interesse ... abbiamo ricevuto una valanga di e-mail. Avremo diversi interventi perciò ... cerchiamo di essere tutti concisi. Abbiamo un primo collegamento con Parigi per sapere come sta andando lì

Corrispondente: Bisogna dire che questa iniziativa è stata presa molto bene dai telespettatori anche se... all'inizio ci sono stati degli scioperi da parte dei dipendenti perché hanno temuto tagli per il personale. Il presidente spiega questa decisione, dicendo che vuole una televisione di qualità con informazione e cultura.

Conduttore: Grazie. Ascoltiamo un conduttore. Qual è la sua opinione sull'argomento?

Conduttore: Guardi, sono stato uno dei primi a fare pubblicità in televisione ... mi ricordo che a quei tempi era uno scandalo. Poi, arrivò la televisione commerciale. Adesso dubito che in Italia si possa realizzare quello che stanno facendo in Francia. La pubblicità non dà fastidio e poi noi italiani facciamo una bella pubblicità. Per avere più qualità bisogna togliere i reality...

Conduttore:	Grazie... abbiamo in linea un dirigente della Rai. Secono Lei, cosa succederebbe se non ci fosse la pubblicità? Aumenterebbe il canone?
Dirigente:	Penso proprio di sì. La televisione pubblica avrebbe comunque meno risorse finanziarie e diventerebbe secondaria alle tivù commerciali. Sarebbe un vero disastro! Si potrebbe, però, ma in via sperimentale, provare a togliere la pubblicità solo per una rete.
Conduttore:	Mi scusi! Devo interromperla! Abbiamo una breve pausa pubblicitaria. Riprenderemo tra pochissimo..

Restate con noi e telefonateci... Ricordo l'argomento di oggi ... la tv pubblica senza spot.

E3. Inserite nella tabella le lettere corrispondenti alle frasi che hanno detto, come nell'esempio.

corrispondente	conduttore televisivo	dirigente della RAI
		a

a. La televisione avrebbe meno risorse finanziarie
b. All'inizio ci sono stati scioperi.
c. sono stato uno dei primi a fare pubblicità in televisione
d. Il presidente francese vuole una televisione di qualità.
e. Si potrebbe, in via sperimentale, togliere la pubblicità solo per una rete.
f. La pubblicità non da' fastidio.
g. La tv pubblica diventerebbe secondaria alle tv commerciali.

E4. Ascoltate e dite se le affermazioni seguenti sono vere o false. (traccia 43)

	V	F
1. I radioascoltatori hanno mandato poche e-mail.		
2. All'inizio i dipendenti della televisione francese hanno temuto il licenziamento.		
3. Il presidente francese vuole meno informazione e più cultura in tv.		
4. Per il conduttore televisivo è difficile realizzare in Italia l'iniziativa francese.		
5. Per il conduttore televisivo gli italiani fanno una brutta pubblicità.		
6. Per il conduttore televisivo, i reality sono importanti.		
7. Per il dirigente della Rai, la televisione senza pubblicità sarebbe un disastro.		
6. Il dirigente della Rai dice che si può fare una prova solo per una rete.		

F1. Scrivete la parola giusta per ogni definizione.

1. Persone che guardano la televisione.

....

2. Persona che presenta, conduce un programma.

....

3. Giornalista che manda notizie dal luogo o Paese dove si trova.

....

4. Fatto di grande interesse che può essere contrario alla morale corrente.

....

5. Soldi che si pagano annualmente per la televisione pubblica.

....

6. Comunicato pubblicitario televisivo o radiofonico.

....

G1. Formate il plurale dei verbi seguenti, come nell'esempio.

Esempio:

diventa → *diventano*

1. spiega → ....
2. lascia → ....
3. rapina → ....
4. affronta → ....
5. prova → ....
6. telefona → ....
7. cerca → ....
8. realizza → ....

G2. Leggete le frasi seguenti, facendo attenzione alla posizione dell'accento.

1. Gli studenti spiegano il senso della frase.
2. Molti contadini lasciano la campagna per andare in città.
3. I rapinatori rapinano le banche con il volto coperto.
4. I cittadini affrontano insieme i problemi della città.
5. Le modelle provano i vestiti molte volte.
6. I radioascoltatori telefonano per partecipare ai programmi.
7. Molti cercano nei soldi la felicità.
8. In questa società spesso i giovani non realizzano i loro sogni.

H1. Lavorate in gruppi.

Uno di voi scrive l'opinione degli altri del gruppo sui vantaggi e svantaggi della televisione senza pubblicità e poi riferisce alla classe.

RITAGLIA QUESTO FOGLIO PER COPRIRE I TESTI CHE ASCOLTI.

ATTIVITÀ
LINGUISTICHE
PER LO SVILUPPO
DELLE ABILITÀ
DI ASCOLTO IN
ITALIANO L2

SE ASCOLTANDO...

Finito di stampare nel mese di Maggio 2013
da *Graphicmasters* - Perugia
per conto di Guerra Edizioni - Guru s.r.l.